새 교육과정 5~6학년 STEAM 과학

인기 강사 100명 강력 추

안쌤의

최상위 줄기과학

초등 6·2

구성과 특징

개념

교과서 핵심 내용을 간결하면서도 이해하기 쉽게 설명해 놓았습니다. 또한, 풍부한 시각 자료가 있어 개념이 확실히 잡히도록 구성하였습니다.

🌱 개념 더하기

교과서 개념을 이해하는 데 도움이 되는 설명들로 구성하였습니다.

🌱 탐구

단원의 중요 탐구를 제시하여 중요 내신형 탐구 문제를 쉽게 해결할 수 있도록 구성하였습니다.

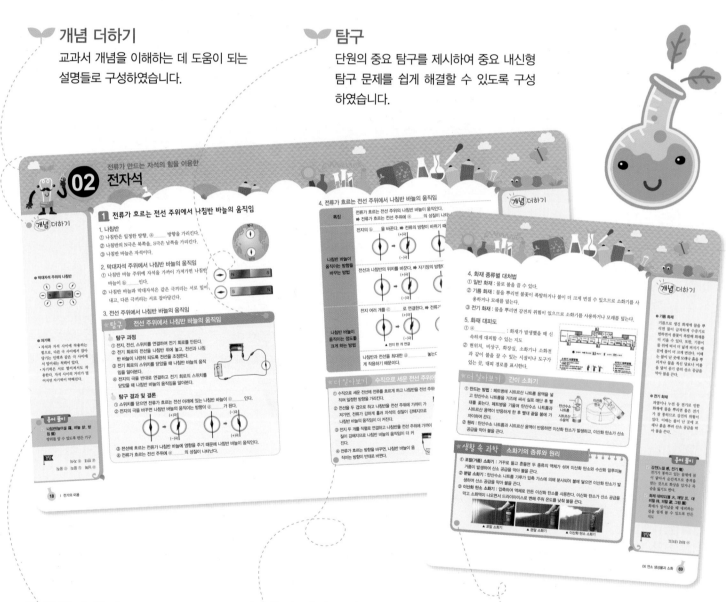

🌱 용어 풀이

한자의 뜻을 알면 용어의 뜻을 잘 이해할 수 있어 과학 용어를 잘 기억할 수 있습니다.

🌱 더 알아보기

학교 시험에 나올 수 있는 문제를 대비하여 교과서 개념을 응용하거나 적용된 실생활 내용으로 구성하였습니다.

🌱 생활 속 과학

새 교육과정의 융합인재교육(STEAM)에서 강조하고 있는 생활 속 과학을 교과서 개념이 적용된 내용으로 구성하였습니다.

문제 구성

교과서 핵심 내용을 확실히 이해했는지 확인하기 위한 객관식 문제 유형과 서술형 문제 유형으로 구성하였습니다. 또한 새 교육과정에서 강조하는 융합인재교육(STEAM)을 위한 융합사고력 문제 유형과 STEAM 실험실로 탐구력 향상 문제 유형으로 구성하였습니다.

🌱 개념 기르기

개념을 확실히 파악했는지 확인하고 학교 시험에 자주 출제되는 문제를 통해 기초를 튼튼히 기를 수 있도록 구성하였습니다.

🌱 서술형으로 다지기

학교 시험에서 출제되는 서술형 문제를 집중적으로 연습할 수 있고, 문제를 해결하기 위한 사고의 흐름을 손에 잡히는 문제 해결로 제시하여 문제해결력을 다질 수 있도록 구성하였습니다.

🌱 융합사고력 키우기

창의 서술형 평가로 새롭게 등장한 융합형(STEAM) 문제를 대비할 수 있도록, 신문기사(NIE), 실생활 속 제품, 과학사 등의 지문을 이용하여 서술형 문제와 논술형 문제를 넣고, 손에 잡히는 문제 해결로 융합적 사고의 흐름을 제시하여 융합사고력을 키울 수 있도록 구성하였습니다.

🌱 탐구력 키우기

새 교육과정에서 등장한 단원별 마무리 STEAM 활동처럼 단원을 STEAM 탐구로 마무리할 수 있도록 구성하였습니다.

문제 구성 속 아이콘

ⓐ 개념 속 빈칸

눈으로만 보는 개념보다 빈칸을 채워가며 완성하는 개념이 학습에 도움이 됩니다. 이를 위해 핵심 개념에 빈칸을 넣어 구성하였습니다.

정답 개념 속 빈칸 정답

빈칸을 채워가며 개념을 완성하는 데 정답 확인이 번거롭지 않도록 개념 페이지 하단에 정답을 넣었습니다. 답을 바로바로 확인하면서 개념 페이지를 완성할 수 있습니다.

중요

출제 빈도가 높은 문제에는 중요 아이콘을 표시했습니다. 이 문제는 확실히 이해하고 넘어가도록 합니다.

신유형

새 교육과정에 맞춰 새롭게 등장한 유형으로 학교 시험 예상 문제입니다.

논술형

최근 창의 서술형 평가로 새롭게 등장한 논술형 문제를 대비할 수 있도록 구성하였습니다.

차례

I 전기의 이용

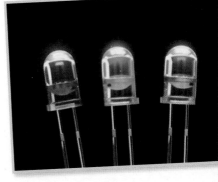

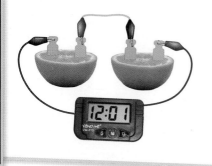

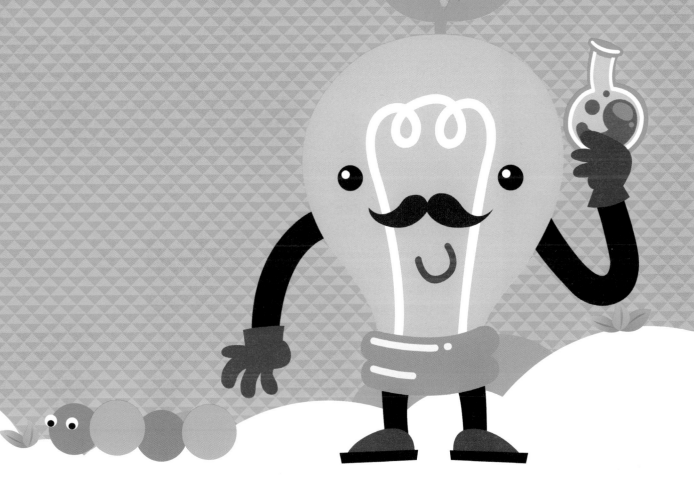

이 단원의 주요 내용

간단한 전기 회로를 구성하면서 전구에 불이
켜지는 조건을 알고 전구의 연결 방법에 따라
전구의 밝기가 어떻게 달라지는지 비교해 본다.
전자석을 만들고 전자석의 특징을 알아
본다. 에너지와 물질은 서로 다른
것임을 안다.

★ 2015 개정 교육과정 교과서

    초등 5~6학년 군 :

        6학년 2학기 1단원 전기의 이용

        6학년 2학기 5단원 에너지와 생활

★ 다른 학년과의 연계

    초등 3~4학년 군 : 자석의 이용

    중학교 1~3학년 군 : 전기와 자기, 식물과 에너지,

                        동물과 에너지, 운동과 에너지,

                        에너지 전환과 보존

01 전기 회로

개념 더하기

● **색깔 점토**

색깔 점토는 염화 칼륨과 수분이 포함되어 있어 전기가 잘 흐른다. 색깔 점토가 굳으면 전류가 흐르지 못해 발광 다이오드의 불이 켜지지 않는다.

1 전기를 이용한 점토 놀이

1. 발광 다이오드에 불이 켜지는 경우

2. 발광 다이오드에 불이 켜지는 이유

① 전지를 연결했기 때문이다.

② 색깔 점토와 발광 다이오드에 ⓐ_____가 흐르기 때문이다.

③ 두 개의 색깔 점토가 붙어 있으면 합선이 일어나 발광 다이오드에 불이 켜지지 않는다.

★더 알아보기　발광 다이오드

① **발광 다이오드** : 필라멘트 대신 반도체를 이용하여 만든 것으로, 전기가 흐르면 빛이 난다.

② **발광 다이오드 연결 방법**
- 3 V 이상의 전압에 연결한다.
- 발광 다이오드의 긴 다리는 전지의 (+)극에, 짧은 다리는 전지의 (−)극에 연결한다.

 (−)　(+)

2 전기 회로

1. 전지, 전선, 전구를 연결해 전구에 불 켜기

전구에 불이 켜지는 전기 회로	전구에 불이 켜지지 않는 전기 회로

• 전구가 전지의 ⓑ_____극과 ⓒ_____극에 각각 연결되어 있다.	• 전구가 전지의 (+)극에만 연결되어 있다. • 전구에 연결된 전선이 모두 전지의 (−)극에만 연결되어 있다.

용어 풀이

☑ **발광 다이오드**(쏠 發, 빛 光, diode)

반도체로 만든 것으로, 전구와 같이 빛을 낸다.

☑ **반도체**(반 半, 이끌 導, 몸 體)

온도나 압력 등의 주위 환경 변화에 따라 전기가 흐르기도 하고 흐르지 않기도 하는 물질

정답

ⓐ 전류 ⓑ (+) ⓒ (−)

2. 전기 회로

① **전기 부품** : 전지, 전지 끼우개, 전구, 전구 끼우개, 집게 달린 전선, 스위치 등

② ⓐ_____ : 여러 가지 전기 부품을 연결해 전기가 흐를 수 있게 만든 것

③ ⓑ_____ : 전기 회로에서 흐르는 전기로 전지의 (+)극에서 (−)극으로 흐른다.

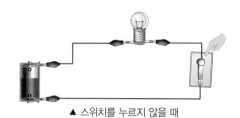

▲ 스위치를 누르지 않을 때

전류의 흐름 ➡

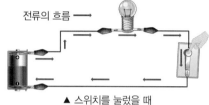

▲ 스위치를 눌렀을 때

3. 도체와 부도체

① ⓒ_____ : 전류가 잘 흐르는 물질 **예** 철, 구리, 알루미늄, 흑연(연필심) 등

② ⓓ_____ : 전류가 잘 흐르지 않는 물질 **예** 종이, 유리, 비닐, 나무 등

연필심

나무막대

4. 전기 회로의 전구에 불이 켜지는 조건

① 전지, 전구, 전선을 연결해 전기 회로를 만든다.

② 전기 부품의 ⓔ_____ 끼리 연결한다.

③ 전구는 전지의 (+)극과 (−)극에 각각 연결한다.

★더 알아보기 전기 부품

① **전구** : 빛을 낸다. 전기 회로의 꼭지와 꼭지쇠를 통해 전류가 흐르면 필라멘트에서 빛이 난다.

② **전구 끼우개** : 전기 회로를 만들 때 전구를 끼워 사용하면 전선을 쉽게 연결할 수 있다.

③ **전지** : 전기 회로에 전류를 흐르게 한다. 전지의 (+)극과 (−)극이 연결되어야 전류가 흐른다.

④ **전지 끼우개** : 전기 회로를 만들 때 전지를 끼워 사용하면 전선을 쉽게 연결할 수 있다.

⑤ **집게 달린 전선** : 전류가 흐르는 통로이다. 집게가 있어 여러 가지 전기 부품에 쉽게 연결할 수 있다.

⑥ **스위치** : 전기 회로에 전류를 흐르게 하거나 흐르지 않게 한다.

필라멘트
꼭지쇠
꼭지

▲ 전구

▲ 전구 끼우개

(+)극

(−)극

▲ 전지

(+)극

(−)극

▲ 전지 끼우개

▲ 집게 달린 전선

▲ 스위치

개념 더하기

● **전기 부품의 도체와 부도체 부분**

• **도체** : 빨간색
• **부도체** : 파란색

필라멘트
유리구   (+)극   집게
지지대   몸통
꼭지쇠
꼭지   (−)극   피복

꼭지쇠
연결 부분   (+)극   손잡이
            몸체   집게
부직포 꼭지   스위치
      연결 부분   (−)극

용어 풀이

☑ **전기 회로**(전기 電, 기운 氣, 돌아올 回, 길 路)
전기 부품을 연결하여 전기가 흐를 수 있도록 만든 것

☑ **전류**(전기 電, 흐를 流)
흐르는 전기

☑ **도체**(이끌 導, 몸 體)
전류가 잘 흐르는 물질

☑ **부도체**(아닐 不, 이끌 導, 몸 體)
전류가 잘 흐르지 않는 물질

정답

ⓒ 도체 ⓓ 부도체 ⓔ 같은 극
ⓐ 전기 회로 ⓑ 전류

개념 더하기

● **전류의 크기 비교 방법**

전기 회로에 흐르는 전류의 크기는 전구의 밝기로 비교한다. 전구에 많은 전류가 흐르면 전구가 밝아진다.

● **전지의 직렬연결과 병렬연결의 특징**

• 직렬연결 : 1.5 V 전지 2개를 직렬로 연결하면 전압이 3 V가 된다. 따라서 전구가 밝으나, 오래쓰지 못한다.
• 병렬연결 : 1.5 V 전지 2개를 병렬로 연결해도 전압은 1.5 V이다. 따라서 전구가 밝지 않지만 오래 쓸 수 있다.

용어 풀이

☑ **직렬(곧을 直, 늘어설 列)**
전기 회로에서 전기 부품을 일렬로 연결하는 것

☑ **병렬(나란할 並, 늘어설 列)**
전기 회로에서 전기 부품을 나란히 연결하는 것

정답
(거꾸로 인쇄)
ⓐ 같은 ⓑ 큰 ⓒ 밝
ⓓ 다른 ⓔ 같 ⓕ 비슷

3 전지의 연결 방법과 전구의 밝기

1. 전지 두 개를 연결한 전기 회로에서 전구의 밝기

전구의 밝기가 밝은 전기 회로	전구의 밝기가 어두운 전기 회로

2. 전지의 연결 방법과 전구의 밝기

전지의 직렬연결	전지의 병렬연결
전지 두 개 이상을 서로 ⓐ_____ 극끼리 한 줄로 연결한다.	전지 두 개 이상을 서로 ⓓ_____ 극끼리 연결한다.
• ⓑ_____ 전류가 흐른다. • 전지 한 개를 연결한 전기 회로의 전구의 밝기보다 ⓒ_____ 다. • 전지 끼우개에서 전지 한 개를 빼면 전구의 불이 꺼진다.	• 전지 한 개일 때와 전류의 세기가 ⓔ_____ 다. • 전지 한 개를 연결한 전기 회로의 전구의 밝기와 ⓕ_____ 하다. • 전지 끼우개에서 전지 한 개를 빼도 전구의 불이 꺼지지 않는다.
리모컨, 손전등, 장난감, 디지털 도어락 등	등산용 헤드 램프, 무선 마우스 등

4 전구의 연결 방법과 전구의 밝기

1. 전구 두 개를 연결한 전기 회로에서 전구의 밝기

전구의 밝기가 밝은 전기 회로	전구의 밝기가 어두운 전기 회로
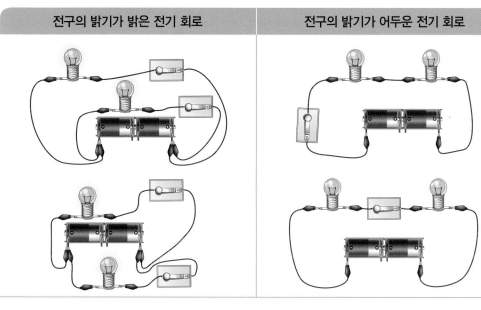	

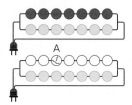

● **크리스마스트리 전구의 연결 방법**
직렬연결과 병렬연결을 혼합해서 사용한다. 직렬로만 연결하면 전구 하나가 고장 났을 때 전체 전구가 꺼지고, 병렬로만 연결하면 전기와 전선이 많이 소모되기 때문이다. 만약 빨간색 전구 A가 꺼져도 파란색 전구는 모두 불이 켜진다.

2. 전구의 연결 방법과 전구의 밝기

전구의 직렬연결	전구의 병렬연결
전구 두 개 이상을 ⓐ_____ 줄로 연결한다.	전구 두 개 이상을 ⓒ_____ 개의 줄에 나누어 한 개씩 연결한다.
• 각 전구의 밝기는 전구 한 개가 연결된 전기 회로의 전구의 밝기보다 ⓑ_____ 다. • 전구 한 개를 빼면 나머지 전구의 불이 꺼진다. • 모든 전구를 한 번에 켜고 끌 수 있다.	• 전구의 직렬연결보다 전구가 ⓓ_____ 다. • 각 전구의 밝기는 전구 한 개가 연결된 전기 회로의 전구의 밝기와 비슷하다. • 전구 한 개를 빼도 나머지 전구의 불이 꺼지지 않는다. • 각 전구를 따로 켜거나 끌 수 있다. • 전지가 빨리 소모된다.
퓨즈, 누전차단기 등	교실 천장의 형광등, 가로등, 공사 중 안전 표시등, 멀티탭 등

● **퓨즈와 누전차단기**
• 퓨즈 : 전류가 갑자기 많이 흐를 때 퓨즈가 녹아내려 전기 회로의 전류를 끊는다.
• 누전차단기 : 가정의 실내 전기 배선에 문제가 생기면 자동으로 전기를 차단한다.

▲ 퓨즈　　▲ 누전차단기

정답

ⓓ 밝　
ⓐ 한 　ⓑ 어둡　ⓒ 여러

개념기르기

01 다음은 준혁이가 만든 전기를 이용한 색깔 점토 인형입니다. 발광 다이오드에 불이 켜지는 이유에 대한 설명으로 알맞은 것은 어느 것입니까? ( )

① 색깔 점토와 발광 다이오드에 전기가 흐르기 때문이다.
② 전지를 연결하지 않아도 불이 켜진다.
③ 색깔 점토가 굳어도 불이 켜진다.
④ 발광 다이오드에는 전기가 흐르지 않는다.
⑤ 색깔 점토를 한 덩어리로 만들어도 불이 켜진다.

02 다음 전기 회로 중 전구에 불이 켜지는 것을 모두 고르세요. (,)

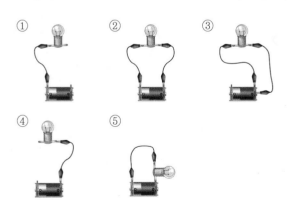

03 다음 중 도체 물질은 어느 것입니까? ( )

① 나무　　② 비닐　　③ 유리
④ 종이　　⑤ 알루미늄

04 다음 그림과 같이 집게 전선의 표면을 고무로 덮은 이유로 옳은 것은 어느 것입니까? ( )

① 전기가 잘 통하게 하기 위해서이다.
② 전선이 끊어지지 않게 하기 위해서이다.
③ 전류가 손으로 흐르는 것을 방지하기 위해서이다.
④ 손으로 잡기 쉽게 하기 위해서이다.
⑤ 열이 전달되는 것을 막기 위해서이다.

05 다음 전구의 각 명칭으로 옳은 것은 어느 것입니까? ( )

① ㉠－필라멘트　　② ㉡－지지대
③ ㉢－유리구　　④ ㉣－꼭지
⑤ ㉤－꼭지쇠

06 다음과 같은 전지의 연결 방법에 대한 설명으로 옳은 것은 어느 것입니까? ( )

① 전지가 같은 극끼리 연결되어 있다.
② 전지를 많이 연결할수록 전구의 밝기가 밝아진다.
③ 전지를 오래 사용할 수 있다.
④ 전지 한 개를 연결한 전기 회로의 전구의 밝기와 같다.
⑤ 전지 한 개를 빼도 불이 꺼지지 않는다.

07 다음 전기 회로 중 전지 한 개를 빼도 전구의 불이 꺼지지 않는 것을 <u>모두</u> 고르세요.　　(，　)

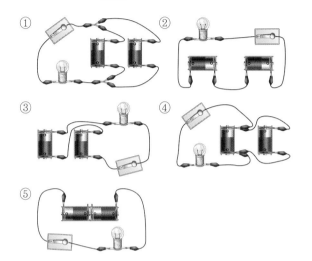

08 다음은 두 가지 방법으로 전구를 연결한 전기 회로입니다. 전구의 연결 방법에 대한 설명으로 옳지 <u>않</u>은 것은 어느 것입니까?　　(　　)

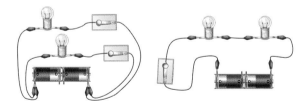

① 전구의 직렬연결은 전류가 흐르는 길이 한 개이다.
② 전구의 병렬연결은 전류가 흐르는 길이 여러 개이다.
③ 전구의 직렬연결은 전구가 한 줄로 연결되어 있다.
④ 전구의 직렬연결이 전구의 병렬연결보다 전구의 밝기가 더 밝다.
⑤ 전구를 병렬연결하면 각 전구의 밝기는 전구 한 개가 연결된 전기 회로의 전구의 밝기와 같다.

09 다음 전기 회로에 대한 설명으로 옳은 것은 어느 것입니까?　　(　　)

① 전구 한 개를 빼도 다른 전구는 불이 켜진다.
② 같은 방법으로 전구를 더 연결하여도 각 전구의 밝기는 변하지 않는다.
③ 전지를 한 개만 연결해도 전구의 밝기는 그대로이다.
④ 전류가 흐르는 길이 하나이다.
⑤ 전구 한 개가 연결된 전기 회로의 전구의 밝기보다 밝다.

10 다음은 전지, 전선, 전구, 스위치로 연결한 전기 회로에서 전류가 흐르는 방향을 화살표로 표시한 것입니다. 전류가 흐르는 길을 옳게 표시한 것을 <u>모두</u> 고르세요.　　(，　)

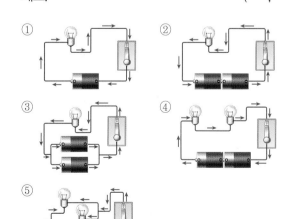

서술형으로 다지기

손에 잡히는 문제 해결

발광 다이오드의 특징은 무엇인가요?

▼

백열등과 비교할 때,
발광 다이오드의 장점은 무엇인가요?

▼

전광판에서 발광 다이오드 한 개가
꺼지면 어떻게 되나요?

01 요즘은 백열등 대신에 열이 많이 나지 않고 여러 가지 색깔의 빛을 내는 발광 다이오드를 많이 사용하고 있습니다. 최근 도로의 전광판들도 여러 개의 발광 다이오드를 사용하는 것으로 바뀌고 있습니다. 발광 다이오드를 사용하는 이유를 세 가지 적어보세요.

손에 잡히는 문제 해결

전지 두 개는 어떻게 연결되어 있나요?

▼

전류가 흐르는 길은 몇 개인가요?

▼

전구에 전류가 흐르지 않으면
어떻게 되나요?

02 다음과 같이 전지, 전선, 전구, 스위치를 이용하여 전기 회로를 만들었습니다. 전지와 전지가 연결된 A 부분을 떨어뜨리면 전구가 어떻게 되는지 이유와 함께 적어보세요.

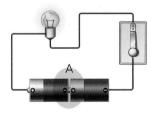

A

03 세훈이는 전지, 전구, 전선, 스위치 등을 이용하여 다음과 같은 손전등을 만들었습니다. 스위치를 켜고 작동시켜보니 손전등의 밝기가 어두웠습니다. 손전등을 밝게 하려면 어떻게 해야 하는지 적어보세요.

손에 잡히는 문제 해결

전류의 세기를 세게 하는
방법은 무엇인가요?

▼

전지의 연결 방법에는 무엇이 있나요?

▼

전류의 세기가 세지는
전지 연결 방법은 무엇인가요?

---

04 집안에서는 여러 가지의 전기 제품을 동시에 사용합니다. 각 전기 제품들이 다음 그림처럼 연결되어 있다면 어떤 현상이 일어날지 적어보세요.

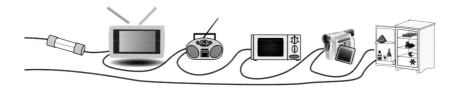

손에 잡히는 문제 해결

전기 제품이 직렬연결된 회로는
어떤 특징이 있나요?

▼

직렬연결된 전기 제품 중에서
한 가지만 사용할 수 있나요?

▼

그림과 같은 회로에서 전기 제품
한 가지가 작동이 안 되면
나머지 전기 제품은 어떻게 되나요?

STEAM

- ✓ **Science**
  - ▶ 전기의 작용
- ✓ **Technology**
  - ▶ 열복사
- ✓ **Engineering**
  - ▶ 백열등
- ☐ **Art**
- ☐ **Mathematics**

용어 풀이

✓ **오브제(objet)**
추상적인 '물체'를 의미하는 미술 용어

✓ **방전(놓을 放, 전기 電)**
전기를 띤 물체에서 전기가 외부로 흘러나오는 현상

✓ **전기장(전기 電, 기운 氣, 마당 場)**
전기를 띤 물체 주위에 전기의 힘이 작용하는 공간

✓ **발광(쏠 發, 빛 光)**
빛을 냄

✓ **플라스마(plasma)**
초고온에서 전자와 이온으로 분리된 기체 상태

✓ **열복사(더울 熱, 바퀴살 輻, 쏠 射)**
물체가 가열되어 열에너지가 전자기파로 방출되는 현상

✓ **전열기(전기 電, 더울 熱, 그릇 器)**
전류가 흐를 때 열이 발생하는 기구

✓ **저항체(막을 抵, 막을 抗, 몸 體)**
전류가 흐르는 것을 막는 물체

어두운 밤을 환하게 비추는 백열등의 원리

전구는 어두운 공간을 환하게 비춘다. 오늘날, 전구는 세균을 흡착하고 냄새를 제거하는 자외선 조명, 음이온 발생 램프, 식물재배에 이용하는 발광 다이오드(LED) 등, 물리치료에 사용하는 적외선 조명, 그리고 인간의 감성까지 조절할 수 있는 기능성 조명까지 다양하다. 또한 전구는 장식품과 오브제로써 전시관이나 거리 곳곳에 자리 잡고 있다. 전구는 더 이상 다른 무언가를 비추는 대상이 아닌, 스스로 밝게 빛나는 하나의 예술인 것이다. 어둠을 밝히는 전구는 빛을 내는 원리에 따라 백열등과 같이 열복사에 의해 빛을 내는 것, 형광등과 같이 방전에 의해 빛을 내는 것, 발광 다이오드(LED)등과 같이 전기장에 의해 빛을 내는 것, 레이저 발광, 플라스마 발광 등으로 나뉜다.

백열등은 어떻게 빛을 낼 수 있을까? 모든 물체는 온도가 높아지면 열복사가 일어난다. 전열기는 저항체에 전류를 흘려줄 때, 저항체에서 발생하는 열을 이용하는 기기이다. 백열등도 전열기와 마찬가지다. 저항체 필라멘트에 전류를 흘려주면 열이 발생하고, 온도가 높아지면 백색광의 빛을 낸다.

유리구
필라멘트
아르곤과 질소의 혼합 기체
지지대

1 백열등이 빛을 내는 원리를 적어보세요.

2 우리나라는 2014년부터 백열등의 제조와 판매, 수입을 금지했습니다. 그 이유를 백열등의 원리와 관련지어 적어보세요.

백열등

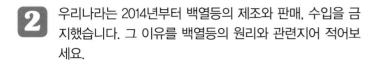

손에 잡히는 **STEAM**

백열등의 원리는 무엇인가요?

▼

백열등의 단점은 무엇인가요?

▼

백열등의 제조와 판매, 수입이 금지된 이유는 무엇인가요?

논술형

3 발광 다이오드(LED)는 수명이 길고 다양한 색의 빛을 만들 수 있으며 빛으로 전환되는 비율이 높아 차세대 광원으로 주목받고 있습니다. 전등 이외에 발광 다이오드(LED)를 활용한 제품이나 물건을 <u>다섯 가지</u> 적어보세요.

손에 잡히는 **STEAM**

발광다이오드(LED)와 백열등의 차이점은 무엇인가요?

▼

발광다이오드(LED)의 장점은 무엇인가요?

▼

발광다이오드(LED)를 활용한 제품에는 무엇이 있나요?

02 전류가 만드는 자석의 힘을 이용한 전자석

1 전류가 흐르는 전선 주위에서 나침반 바늘의 움직임

1. 나침반

① 나침반은 일정한 방향, ⓐ_____ 방향을 가리킨다.

② 나침반의 N극은 북쪽을, S극은 남쪽을 가리킨다.

③ 나침반 바늘은 자석이다.

2. 막대자석 주위에서 나침반 바늘의 움직임

① 나침반 바늘 주위에 자석을 가까이 가져가면 나침반 바늘이 ⓑ_____인다.

② 나침반 바늘과 막대자석은 같은 극끼리는 서로 밀어내고, 다른 극끼리는 서로 잡아당긴다.

3. 전선 주위에서 나침반 바늘의 움직임

★ **탐구** 전선 주위에서 나침반 바늘의 움직임

🔍 **탐구 과정**

① 전지, 전선, 스위치를 연결하여 전기 회로를 만든다.

② 전기 회로의 전선을 나침반 위에 놓고, 전선과 나침반 바늘이 나란히 되도록 전선을 조정한다.

③ 전기 회로의 스위치를 닫았을 때 나침반 바늘의 움직임을 알아본다.

④ 전지의 극을 반대로 연결하고 전기 회로의 스위치를 닫았을 때 나침반 바늘의 움직임을 알아본다.

🔍 **탐구 결과 및 결론**

① 스위치를 닫으면 전류가 흐르는 전선 아래에 있는 나침반 바늘이 ⓒ_____인다.

② 전지의 극을 바꾸면 나침반 바늘의 움직이는 방향이 ⓓ_____가 된다.

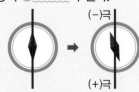

③ 전선에 흐르는 전류가 나침반 바늘에 영향을 주기 때문에 나침반 바늘이 움직인다.

④ 전류가 흐르는 전선 주위에 ⓔ_____의 성질이 나타난다.

개념 더하기

● **막대자석 주위의 나침반**

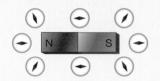

● **자기력**

• 자석과 자석 사이에 작용하는 힘으로, 다른 극 사이에서 잡아당기는 인력과 같은 극 사이에서 밀어내는 척력이 있다.

• 자기력은 서로 떨어져서도 작용한다. 자석 사이의 거리가 멀어지면 자기력이 약해진다.

용어 풀이

☑ **나침반**(늘어설 羅, 바늘 針, 받침 盤)

방위를 알 수 있도록 만든 기구

정답

ⓐ 북쪽 ⓑ 움직 ⓒ 움직
ⓓ 반대 ⓔ 자석

4. 전류가 흐르는 전선 주위에서 나침반 바늘의 움직임

특징	전류가 흐르는 전선 주위의 나침반 바늘이 움직인다. ➡ 전류가 흐르는 전선 주위에 ⓐ_____의 성질이 나타나기 때문이다.
나침반 바늘이 움직이는 방향을 바꾸는 방법	전지의 ⓑ_____을 바꾼다. ➡ 전류의 방향이 바뀌기 때문이다.  전선과 나침반의 위치를 바꾼다. ➡ 자기장의 방향이 바뀌기 때문이다. 
나침반 바늘이 움직이는 정도를 크게 하는 방법	전지 여러 개를 ⓒ_____로 연결한다. ➡ 전류가 많이 흐르기 때문이다. 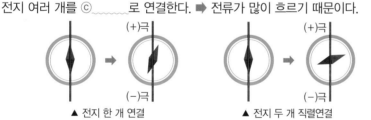 ▲ 전지 한 개 연결　　　　▲ 전지 두 개 직렬연결 나침반과 전선을 최대한 ⓓ_____ 놓는다. ➡ 가까울수록 자석의 성질이 크게 작용하기 때문이다.

★더 알아보기　수직으로 세운 전선 주위에서 나침반 바늘의 움직임

① 수직으로 세운 전선에 전류를 흐르게 하고 나침반을 전선 주위에 가까이 가져가면, 나침반 바늘이 움직여 일정한 방향을 가리킨다.

② 전선을 두 겹으로 하고 나침반을 전선 주위에 가까이 가져가면, 전류가 강하게 흘러 자석의 성질이 강해지므로 나침반 바늘의 움직임이 더 커진다.

③ 전지 두 개를 직렬로 연결하고 나침반을 전선 주위에 가까이 가져가면, 전류가 강하게 흘러 자석의 성질이 강해지므로 나침반 바늘의 움직임이 더 커진다.

④ 전류가 흐르는 방향을 바꾸면, 나침반 바늘이 움직이는 방향이 반대로 바뀐다.

개념 더하기

● **전류가 흐르는 전선 주위의 나침반 바늘의 방향**

오른손의 엄지손가락을 펴 전류의 방향으로 향하게 하고 나머지 네 손가락으로 전선을 감아 줄 때, 네 손가락이 향하는 방향이 나침반 바늘의 방향이다.

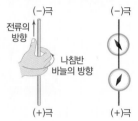

● **외르스테드**

전류가 흐르는 전선 주위에 자석과 같은 성질이 나타난다는 것을 실험으로 보여 준 최초의 과학자이다. 외르스테드는 우연히 전류가 흐르는 전선 주위에 있던 나침반 바늘이 움직이는 것을 관찰하였고, 여러 번 실험한 후 전류가 흐르는 전선 주위에 자석과 같은 성질이 나타난다는 것을 발표하였다.

정답

ⓐ 자석 　ⓑ 극 　ⓒ 직렬
ⓓ 가깝게

02 전자석

개념 더하기

● 전자석 만드는 방법

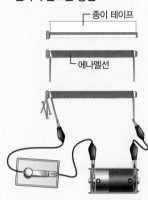

- 종이 테이프
- 에나멜선

● 전자석에 철심을 넣는 이유

전자석에 철심이 없어도 에나멜선에 전류가 흐르면 자석의 성질이 나타나기 때문에 전자석 역할을 할 수 있다. 그러나 모든 전자석은 내부에 철심을 넣어서 만든다. 에나멜선에 흐르는 전류가 만든 자기장에 의해 철심도 자기화되어 자기력의 세기가 매우 강해지기 때문이다.

용어 풀이

☑ **전자석(전기 電, 자석 磁, 돌 石)**
전류가 흐르면 자석의 성질이 나타나고 전류가 흐르지 않으면 자석의 성질이 나타나지 않는 자석

정답

ⓒ 바뀐다 ⓑ 일정한 방향 ⓐ 많이

---

2 전자석

1. 전자석

① **전자석** : 전류가 흐르는 전선 주위에 자석의 성질이 나타나는 것을 이용해 만든 자석

② **전자석 만들기**

- 둥근머리 볼트와 같은 철심에 종이 테이프를 빈틈없이 감는다.
- 둥근머리 볼트에 에나멜선을 한쪽 방향으로 여러 번 감는다.
- 에나멜선의 양쪽 끝부분을 벗겨낸 후 전기 회로에 연결한다.

2. 전자석의 성질

★탐구   전자석의 성질 알아보기

🔍 **탐구 과정**

① 스위치를 닫지 않고 전자석의 끝부분을 시침바늘에 가까이 가져가 본다.
② 스위치를 닫고 전자석의 끝부분을 시침바늘에 가까이 가져가 본다.
③ 전지 두 개를 직렬로 연결한 후 스위치를 닫고 전자석의 끝부분을 시침바늘에 가까이 가져가 본다.
④ 전자석 양 끝에 나침반을 놓고 스위치를 닫았을 때 나침반 바늘의 방향을 관찰한다.
⑤ 전지의 극을 반대로 하고 스위치를 닫았을 때 나침반 바늘의 방향을 관찰한다.

🔍 **탐구 결과 및 결론**

① 스위치를 닫지 않으면 시침바늘이 전자석에 붙지 않는다.
② 스위치를 닫으면 시침바늘이 전자석에 3~4개 붙는다.
③ 전지 두 개를 직렬로 연결하면 시침바늘이 전자석에 더 ⓐ_____ 붙는다.

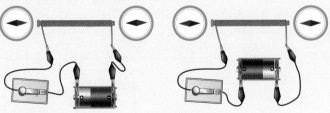

④ 스위치를 닫으면 나침반 바늘이 ⓑ_____을 향한다.
⑤ 전지의 극을 반대로 하면 나침반 바늘의 방향이 ⓒ_____로 바뀐다.

3. 영구 자석과 전자석

영구 자석	전자석
• 항상 자석의 성질을 가지고 있다. • 세기를 바꿀 수 없다. • 극을 바꿀 수 없다.	• ⓐ_____가 흐를 때만 자석의 성질이 나타난다. • 자석의 세기를 조절할 수 있다. ➡ 전지 여러 개를 ⓑ_____로 연결하거나, 에나멜선을 촘촘하게 여러 번 감는다. • 자석의 ⓒ____을 바꿀 수 있다. ➡ 전지의 극을 반대로 연결한다.

4. 우리 생활에서 전자석이 이용되는 예

① **전자석 ⓓ_____** : 무거운 철제품을 전자석에 붙여 다른 장소로 옮긴다.

② **자기 부상 열차** : 전류가 흐를 때 자기 부상 열차와 철로가 서로 밀어내어 열차가 철로 위에 떠서 이동하기 때문에 열차와 철로 사이의 마찰이 없어 빠르게 달릴 수 있다.

▲ 전자석 기중기

③ **전기 자동차** : 전자석의 성질을 이용한 전동기가 회전하면서 자동차 바퀴를 움직인다.

3 전기와 우리 생활

1. 전기 절약 방법과 전기 안전 수칙

전기 절약 방법	전기 안전 수칙
• 사용하지 않는 전등을 끈다. • 컴퓨터나 텔레비전 사용 시간을 줄인다. • 에어컨을 켤 때 문을 닫는다. • 움직임 감지 장치를 부착한 전등을 사용한다. • 에너지 지킴이를 선정하여 사용하지 않는 전기 제품을 끈다.	• ⓔ_____ 묻은 손으로 전기 제품을 만지지 않는다. • 콘센트 한 개에 플러그 여러 개를 한꺼번에 꽂아서 사용하지 않는다. • 플러그를 뽑을 때 전선을 잡아당기지 않는다. • 깜박거리는 형광등을 만지지 않는다. • 전열 기구를 사용하지 않을 때 플러그를 뽑는다.

2. 전기를 안전하게 사용하거나 절약하기 위해 사용하는 제품

① **시간 조절 콘센트** : 원하는 시간이 되면 자동으로 전원이 차단된다.

② **사람의 움직임을 감지하는 감지등** : 사람의 움직임이 감지되면 전류를 흐르게 한다.

③ **발광 다이오드(LED)등** : 백열등이나 형광등보다 전기를 절약할 수 있다.

④ **콘센트 덮개** : 감전 사고를 예방한다.

⑤ **누전차단기** : 큰 전류가 흐르면 먼저 끊어져 전류가 흐르지 않게 한다.

개념 더하기

● **전자석이 이용되는 예**

• 선풍기, 머리 말리개 : 전자석의 성질을 이용한 전동기에 날개를 붙여 전동기를 회전시켜 바람을 일으킨다.

• 세탁기 : 전자석의 성질을 이용한 전동기가 회전하면서 빨래를 세탁한다.

• 스피커 : 전자석과 영구 자석이 밀고 당기면서 얇은 판을 떨리게 하여 소리를 만든다.

● **전기를 절약해야 하는 까닭**

• 발전소에서 전기를 만들기 위해 사용하는 석탄, 석유 등의 자원을 절약하는 것과 같기 때문이다.

• 전기를 만드는 자원을 외국에서 수입해서 사용하기 때문이다.

● **콘센트 덮개**

용어 풀이

✓ **기중기(일으킬 起, 무거울 重, 기계 機)**
무거운 물건을 들어 올려 이동시키는 기계

정답

ⓓ 기중기 ⓔ 물

ⓐ 전류 ⓑ 직렬 ⓒ 극

01 다음 중 나침반과 막대자석 주위에서 나침반 바늘의 움직임에 대한 설명으로 옳지 <u>않은</u> 것은 어느 것입니까? ( )

① 나침반은 일정한 방향을 가리킨다.

② 나침반의 N극은 북쪽, S극은 남쪽을 가리킨다.

③ 나침반 바늘은 자석이다.

④ 나침반 바늘 주위에 자석을 가까이 가져가면 나침반 바늘이 움직인다.

⑤ 나침반 바늘과 막대자석은 같은 극끼리 서로 잡아당긴다.

02 다음 중 전선 주위에서 나침반 바늘의 움직임에 대한 설명으로 옳지 <u>않은</u> 것은 어느 것입니까? ( )

① 전류가 흐르는 전선 주위에 나침반을 가져가면 나침반 바늘이 움직인다.

② 전기 회로의 스위치를 닫으면 나침반 바늘이 움직인다.

③ 전기 회로의 스위치를 열면 나침반 바늘이 남북 방향을 가리킨다.

④ 전선에 흐르는 전류는 나침반 바늘의 움직임에 영향을 주지 않는다.

⑤ 전지의 극을 반대로 연결하면 나침반 바늘의 움직이는 방향이 바뀐다.

03 중요 다음 중 나침반의 바늘의 움직임는 방향을 바꾸는 방법으로 옳은 것을 모두 고른 것은 어느 것입니까?
( )

> 보기
> ㉠ 나침반과 전선을 최대한 가까이 놓는다.
> ㉡ 전류의 방향을 바꾼다.
> ㉢ 전지의 극을 반대로 연결한다.

① ㉠　　　② ㉡　　　③ ㉢
④ ㉠, ㉡　　　⑤ ㉡, ㉢

04 다음과 같이 장치하고 전류를 흐르게 하였더니 나침반 바늘이 ㉡쪽으로 움직였습니다. 전지 1개를 직렬로 더 연결하였을 때 나침반 바늘의 움직임으로 옳은 것을 모두 고르세요. (,)

① 변화가 없다.　　　② 더 빨리 움직인다.

③ ㉠쪽으로 움직인다.　④ ㉡쪽으로 더 많이 움직인다.

⑤ ㉠과 ㉡ 사이에서 좌우로 조금씩 움직인다.

05 신유형 다음 중 전류가 흐르는 전선을 나침반에 가까이 가져갔을 때 나침반 바늘이 움직이는 이유로 옳은 것은 어느 것입니까? ( )

① 나침반 바늘이 자석에 붙기 때문에

② 나침반 바늘이 잘못 작동했기 때문에

③ 전선에서 나침반 바늘로 전류가 흐르기 때문에

④ 나침반 바늘의 S극이 지구의 남쪽을 가리키기 때문에

⑤ 전류가 흐르는 전선 주위에 자석의 성질이 나타나기 때문에

06 다음은 전자석을 만드는 과정입니다. 전자석을 만드는 과정을 순서대로 나열한 것은 어느 것입니까? ( )

> 보기
> ㉠ 에나멜선 양쪽 끝부분을 벗겨낸다.
> ㉡ 둥근머리 볼트에 종이 테이프를 빈틈없이 감는다.
> ㉢ 에나멜선을 한쪽 방향으로 촘촘하게 감는다.
> ㉣ 에나멜선 양쪽 끝부분을 전기 회로에 연결한다.

① ㉠-㉢-㉡-㉣　　② ㉡-㉠-㉢-㉣
③ ㉡-㉢-㉠-㉣　　④ ㉢-㉠-㉡-㉣
⑤ ㉣-㉠-㉢-㉡

07 다음 중 전자석의 세기를 비교하는 방법으로 옳지 않은 것을 모두 고르세요. (,)

① 시침바늘이 달라붙는 개수를 비교한다.
② 달라붙은 클립의 수를 비교한다.
③ 전지의 개수를 비교한다.
④ 전류가 흐르는 방향을 비교한다.
⑤ 나침반 바늘이 움직인 정도를 비교한다.

08 다음은 에나멜선을 감은 횟수를 다르게 하여 전자석을 만들었을 때, 전자석에 클립이 붙은 개수를 나타낸 것입니다. 이 실험에서 전자석의 세기에 영향을 준 것은 어느 것입니까? ( )

감은 횟수(회)	50	70	90
붙은 클립의 수(개)	1	4	7

① 철심의 굵기
② 에나멜선을 감은 횟수
③ 심의 종류
④ 에나멜선의 굵기
⑤ 직렬연결한 전지의 개수

09 다음 중 전자석의 세기에 대한 설명으로 옳은 것은 어느 것입니까? ( )

① 에나멜선의 굵기가 가늘수록 전자석의 세기가 세진다.
② 전지를 직렬연결할수록 전자석의 세기가 세진다.
③ 에나멜선을 적게 감을수록 전자석의 세기가 세진다.
④ 전지의 수가 적을수록 전자석의 세기가 세진다.
⑤ 볼트의 굵기가 가늘수록 전자석의 세기가 세진다.

신유형

10 다음 중 전자석과 영구 자석에 대한 설명으로 옳은 것을 모두 고른 것은 어느 것입니까? ( )

보기
㉠ 전자석은 전류가 흐를 때만 자석의 성질이 나타난다.
㉡ 영구 자석은 N극과 S극이 일정하다.
㉢ 전자석과 영구 자석은 자석의 세기를 조절할 수 없다.

① ㉠   ② ㉡   ③ ㉢
④ ㉠, ㉡   ⑤ ㉡, ㉢

11 다음 중 전자석의 성질을 이용한 물건이 아닌 것은 어느 것입니까? ( )

① 나침반
② 선풍기
③ 스피커
④ 자기 부상 열차
⑤ 전자석 기중기

중요

12 다음 중 전기를 안전하게 사용하는 모습으로 옳지 않은 것은 어느 것입니까? ( )

① 콘센트 한 개에 플러그 여러 개를 한꺼번에 꽂아서 사용하지 않는다.
② 전선에 사람이 걸려 넘어지지 않도록 전선을 정리한다.
③ 콘센트 덮개를 사용하여 감전 사고를 예방한다.
④ 물 묻은 손으로 전기 기구를 만지지 않는다.
⑤ 플러그를 뽑을 때 전선을 잡아당긴다.

서술형으로 다지기

손에 집히는 문제 해결

나침반 바늘은 언제 움직이나요?

▼

전선에 전류가 흐르면 주위에
어떤 변화가 생기나요?

▼

전류의 방향에 따라 나침반 바늘이
움직이는 방향을 알아보기 위해
같게 해야 할 것은 무엇인가요?

01 전류가 흐르는 전선 주위에서 나침반 바늘의 움직임을 알아보려고 합니다. (가)~(라) 중 전류의 방향에 따라 나침반 바늘이 움직이는 방향을 알아보기 위해 서로 비교해야 하는 것을 고르고 이유를 적어보세요.

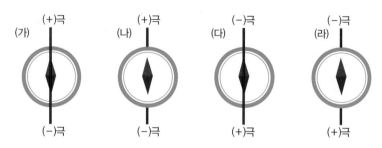

손에 집히는 문제 해결

영구 자석과 전자석의 다른 점은
무엇인가요?

▼

전자석의 극은 언제 생기나요?

▼

전자석의 극을 바꾸려면
무엇을 변화시켜야 하나요?

02 전자석은 영구 자석과 다르게 N극과 S극을 바꿀 수 있습니다. 전자석의 N극과 S극의 방향을 바꿀 수 있는 방법을 적어보세요.

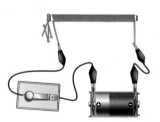

03 나침반과 전자석 기중기는 우리 생활에서 자석의 성질을 이용한 도구입니다. 자석의 성질과 관련해서 두 물체의 차이점을 적어보세요.

손에 잡히는 문제 해결

나침반에 이용된
자석의 성질은 무엇인가요?

▼

전자석 기중기에 이용된
자석의 성질은 무엇인가요?

▼

나침반과 전자석 기중기의
차이점은 무엇인가요?

04 전기 제품을 안전하게 사용하기 위해 전기 제품에 전기를 자동으로 차단하는 퓨즈를 달아 사고를 예방합니다. 대부분의 전기 제품에 들어 있는 퓨즈가 어떻게 전기 사고를 예방하는지 원리를 적어보세요.

손에 잡히는 문제 해결

전선에 많은 양의 전류가 흐르면
어떻게 되나요?

▼

전기 제품의 손상을 막으려면
어떻게 해야 하나요?

▼

전기 제품에 퓨즈가 들어 있는
이유는 무엇인가요?

융합사고력 키우기

STEAM ✨

✅ **Science**
　▶ 전자석

✅ **Technology**
　▶ 보이스 코일

✅ **Engineering**
　▶ 스피커, 필름 스피커

☐ **Art**

☐ **Mathematics**

용어 풀이

☑ **축음기(쌓을 築, 소리 흡, 기계 機)**
원통형 레코드 또는 원판형 레코드에
녹음한 소리를 재생하는 장치

☑ **진동(떨릴 振, 움직일 動)**
흔들려 움직임

☑ **다이내믹(dynamic)**
움직임

☑ **정전(고요할 靜, 전기 電)**
흐르지 않는 전기

☑ **압전(누를 壓, 전기 電)**
모양을 변형시킬 때 전기가 생김

☑ **이온(ion)**
전기를 띠는 물질

☑ **박막(얇은 薄, 막 膜)**
얇은 막

스피커의 원리

듣고 싶은 소리를 언제 어디서나 반복해서 들을 수 없을까?

에디슨이 축음기를 발명하기 전까지는 그러한 노력들의 대부분은 실용적이지 못했다. 에디슨이 발명한 축음기는 레코드판에 저장된 소리를 바늘로 재생시켰다. 그 이후 녹음과 재생 기술은 많은 발전을 했다. 스피커는 소리를 재생하는 대표적인 기기이다. 소리가 재생되려면 스피커에서 전기 신호가 소리로 전환되어야 한다. 즉, 스피커에서 진동이 일어나야 한다.

전선 주위에 나침반을 놓고 전선에 전류를 흘려주면 나침반 바늘이 움직인다. 전선에 전류가 흐를 때 그 주변에 자석의 성질이 나타나기 때문이다. 이 성질을 이용하면 전자석을 만들 수 있다. 철심에 에나멜선을 감고 전류를 흘려주면 철심은 자석(전자석)이 된다. 전자석을 영구 자석에 가까이 가져가면 서로 밀어내거나 당기는 힘이 작용하는데, 이 힘을 이용하면 진동을 만들 수 있다.

스피커에는 진동하는 진동판이 있다. 이 진동판에 에나멜선을 감은 코일을 붙인다. 이 코일을 보이스 코일(voice coil)이라고 한다. 보이스 코일을 영구 자석 가까이에 놓고, 코일에 소리 정보를 가진 전류를 흘려주면 보이스 코일과 영구 자석 사이의 밀고 당기는 힘이 생긴다. 이 힘에 의해 코일과 붙어있는 진동판이 진동하면서 공기도 같이 진동하여 소리가 난다.

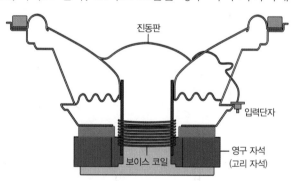

1 스피커에서 소리가 나려면 전기 신호를 무엇으로 바꿔야 하는지 적어보세요.

2 스피커의 핵심 부품은 보이스 코일, 영구 자석, 진동판입니다. 세 가지 부품들의 역할을 바탕으로 스피커에서 소리가 나는 원리를 적어보세요.

손에잡히는 STEAM

스피커 부품 중 보이스 코일의
역할은 무엇인가요?

▼

스피커 부품 중 영구 자석의
역할은 무엇인가요?

▼

자석과 자석이 만나면 어떻게 되나요?

논술형

3 스피커는 진동판을 진동시키는 방식에 따라 다이내믹 스피커, 정전형 스피커, 압전 스피커, 이온형 스피커, 진동면이 얇은 박막형 스피커 등으로 구분됩니다. 이 중에서 압전 스피커는 종이처럼 얇은 필름과 같은 형태로 만들어 가벼우며, 공간을 적게 차지하고 투명합니다. 필름형 스피커(압전 스피커)를 활용할 수 있는 아이디어를 두 가지 적어보세요.

손에잡히는 STEAM

필름형 스피커가 기존 스피커와
다른 점은 무엇인가요?

▼

필름형 스피커만의
특징은 무엇인가요?

▼

우리 주변에서 볼 수 있는 물체 중
필름형 스피커와 결합할 수
있는 것은 무엇이 있나요?

필름형 스티커

03 에너지와 생활

1 과일 전지

1. 과일 전지 시계

① 만드는 방법 : 반으로 자른 귤 두 개에 각각 구리판과 아연
판을 꽂고 전선으로 시계와 연결한다.

② 과일 전지 시계가 작동하는 이유 : 과일 전지에서 전기 에
너지가 만들어지기 때문이다.

2 에너지

1. 에너지

① ⓐ_____ : 일을 할 수 있는 능력

② 기계를 움직이거나 생물이 살아가는 데 필요하다.

2. 에너지를 얻는 방법

① **휴대 전화** : 충전기의 플러그를 콘센트에 연결해 충전한다.

② **자동차** : 주유소에서 연료를 넣는다.

③ **동물** : 식물이나 다른 동물을 먹는다.

④ **식물** : 햇빛을 받아 광합성을 하여 양분을 만든다.

3. 에너지 형태

ⓑ 에너지	• 물체의 온도를 높이거나, 음식을 익히는 에너지 • 불이 켜진 전등, 작동 중인 온풍기, 뛰어다니며 땀 흘리는 아이의 체온 등
ⓒ 에너지	• 전기 기구들을 작동시키는 에너지 • 전등, 온풍기, 텔레비전, 시계, 가로등, 신호등, 전동 킥보드, 전기 자전거 등
ⓓ 에너지	• 어두운 곳을 밝게 비추는 에너지 • 불이 켜진 전등, 햇빛, 신호등, 가로등, 간판 불빛, 전광판 등
ⓔ 에너지	• 생명 활동에 필요하고, 물질이 가진 에너지 • 화분의 식물, 나무, 음식, 사람, 석탄, 석유 등
ⓕ 에너지	• 움직이는 물체가 가진 에너지 • 움직이는 학생, 아이가 타고 있는 그네, 움직이는 자동차, 걸어가는 사람 등
ⓖ 에너지	• 높은 곳에 있는 물체가 중력에 의해 가진 에너지 • 천장에 매달린 모빌, 게시판의 작품, 미끄럼틀 위에 있는 아이, 올라간 그네 등

● 과일 전지
아연판의 전자가 과일즙에 들어 있는 전해질을 통해 구리판으로 이동하면서 전류의 흐름이 생겨 전기 에너지가 생긴다.

● 에너지
에너지는 무엇인가를 움직이고 변화시킬 수 있는 것으로 여러 가지 일을 할 수 있는 능력을 의미한다. 에너지는 눈에 보이지 않으며 물질은 에너지를 가지고 있다.

☑ **온풍기(따뜻할 溫, 바람 風, 도구 器)**
따뜻해진 공기를 실내로 돌게 하는 기구

☑ **광합성(빛 光, 합할 合, 이룰 成)**
식물이 빛을 이용해 양분을 만드는 과정

☑ **화학(될 化, 배울 學) 에너지**
물질에 저장된 에너지

3 에너지 전환

1. 에너지 전환

① 에너지 ⓐ_____ : 에너지가 한 형태에서 다른 형태로 바뀌는 것

② 에너지를 전환함으로써 필요한 형태의 에너지를 얻을 수 있다.

2. 에너지 전환의 예

① 전광판, 가로등, 발광 다이오드(LED)등 : 전기 에너지 → ⓑ_____ 에너지

② 전기다리미, 전기난로 : 전기 에너지 → ⓒ_____ 에너지

③ 불꽃놀이 : 화학 에너지 → 빛에너지, 열에너지

④ 광합성을 하는 풀과 나무 : 빛에너지 → ⓓ_____ 에너지

▲ 발광 다이오드(LED)등

▲ 전기난로

▲ 불꽃놀이

▲ 광합성을 하는 나무

⑤ 꼭대기에 올라가 있던 낙하 놀이기구가 떨어질 때 : ⓔ_____ 에너지 → 운동 에너지

⑥ 비탈을 오르는 롤러코스터 : ⓕ_____ 에너지 → 위치 에너지

⑦ 움직이는 범퍼카 : 전기 에너지 → 운동 에너지

⑧ 떠오르는 열기구 : 화학 에너지 → ⓖ_____ 에너지 → 위치 에너지

▲ 떨어지는 자이로드롭

▲ 올라가는 롤러코스터

▲ 범퍼카

▲ 열기구

⑨ 달리는 아이 : ⓗ_____ 에너지 → 운동 에너지

⑩ 떨어지는 폭포수 : 위치 에너지 → ⓘ_____ 에너지

⑪ 과일 전지 : 화학 에너지 → 전기 에너지

⑫ 풍력 발전기 : 공기의 운동 에너지(바람) → 프로펠러의 운동 에너지 → 전기 에너지

▲달리는 아이

▲ 폭포수

▲ 과일 전지

▲ 풍력 발전기

개념 더하기

● **열기구**

연료를 태워 피운 불로 큰 풍선 안의 공기를 데우면 주위 공기보다 가벼워져 열기구가 위로 올라간다. 불을 끄면 풍선 안의 공기가 식어 열기구가 아래로 내려온다.

● **풍력 발전**

바람의 힘으로 프로펠러를 돌려 발전기를 움직이게 하여 전기 에너지를 얻는다. 바람이 지속해서 많이 부는 바닷가나 높은 산에 설치해야 효율이 높고, 풍속이 평균 4 m/s 이상이면 이용할 수 있다. 우리나라에서는 강원도 대관령, 경상북도 영덕, 제주도 행원 등에 풍력 발전단지가 운영되고 있다.

용어 풀이

🅥 **전환(바꿀 轉, 바꿀 煥)**
다른 방향이나 상태로 바꿈

정답

ⓐ 전환 ⓑ 빛 ⓒ 열
ⓓ 화학 ⓔ 위치 ⓕ 운동
ⓖ 열 ⓗ 화학 ⓘ 운동

03 에너지와 생활

개념 더하기

3. 우리가 이용하는 에너지의 전환

> **탐구** 태양광 해파리 움직임 관찰하기

탐구 과정

① 얇은 종이를 길게 찢거나 잘라서 양면테이프로 프로펠러 날개에 붙인다.
② 태양 전지의 전선과 전동기를 집게 달린 전선으로 연결한다.
③ 전동기 축에 ①의 프로펠러를 끼운다.
④ 태양 전지가 태양을 향하도록 놓고 태양광 해파리의 움직임을 관찰한다.

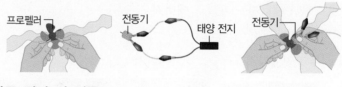

프로펠러　전동기　태양 전지　전동기

탐구 결과 및 결론

① 태양 전지가 태양을 향하면 해파리가 계속 돌아간다.
② 태양 전지를 손으로 가리면 돌아가던 해파리가 ⓐ＿＿＿＿다.
③ 태양 전지는 빛에너지를 ⓑ＿＿＿＿ 에너지로 전환한다.
④ 전동기는 전기 에너지를 ⓒ＿＿＿＿ 에너지로 전환한다.
⑤ 태양광 해파리에서 일어나는 에너지 전환은 빛에너지 → 전기 에너지 → 운동 에너지이다.

① 우리가 이용하는 에너지의 전환

- 식물 : 태양의 ⓓ＿＿＿ 에너지로 양분을 만들어 화학 에너지를 얻는다.
- 동물 : 음식을 먹으면 ⓔ＿＿＿＿ 에너지가 열에너지나 운동 에너지로 전환된다.
- 전기 기구 : 태양으로부터 온 에너지를 여러 가지 방법을 통해 전기 에너지로 전환하여 사용한다.
- 사람 : 태양으로부터 온 에너지를 여러 가지 형태로 전환하여 생활에 활용한다.

② 우리가 이용하는 에너지의 근원 : ⓕ＿＿＿＿ 에너지

> **더 알아보기** 전기 에너지를 만들 때의 에너지 전환

① **화력 발전소** : 석탄, 석유, 가스 등 화석 연료를 태워 생긴 열에너지로 수증기를 만들어 터빈을 돌려 전기 에너지를 만든다. ➡ 화학 에너지 → 열에너지 → 운동 에너지 → 전기 에너지
② **수력 발전소** : 높은 곳의 댐에 있는 물을 떨어뜨려 터빈을 돌려 전기 에너지를 만든다.
　➡ 위치 에너지 → 운동 에너지 → 전기 에너지
③ **원자력 발전소** : 우라늄 등의 핵연료가 핵분열할 때 생긴 열에너지로 수증기를 만들어 터빈을 돌려 전기 에너지를 만든다. ➡ 핵에너지 → 열에너지 → 운동 에너지 → 전기 에너지

● 태양 전지

반도체를 이용하여 만들며 증기 터빈이나 발전기 없이 직접 전기 에너지를 얻을 수 있다. 태양 전지는 환경을 오염시키지 않으면서도 에너지 자원이 무한하다. 현재 상용화된 태양 전지의 효율은 약 15 % 정도이다.

용어 풀이

✓ **태양 전지(클 太, 태양 陽, 전기 電, 연못 池)**
태양의 빛에너지를 전기 에너지로 전환하는 장치

정답

ⓕ 태양　ⓔ 화학　ⓓ 빛
ⓒ 운동　ⓑ 전기　ⓐ 멈춘

4 에너지의 효율적 이용

1. 에너지를 효율적으로 사용하는 방법

전기 기구	• 에너지 효율이 좋은 발광 다이오드(LED)등을 사용한다. • 에너지 소비 효율 등급이 ⓐ_____은 전기 기구를 사용한다. • 대기 전력 기준을 만족한 에너지 절약 표시가 있는 기구를 사용한다.
건축물	• 건물 벽을 두껍게 만들거나 단열재를 사용해 외부 온도의 영향을 적게 받도록 한다. • ⓑ_____이나 단열 유리를 설치해 빠져나가는 열에너지의 양을 줄인다. • 태양 전지를 설치하여 전기 에너지를 만들어 사용한다. • 태양열을 난방이나 온수에 이용한다.
식물	• ⓒ_____은 추운 겨울에 어린싹이 열에너지를 빼앗겨 어는 것을 막는다. • 가을철에 낙엽을 떨어뜨려 화학 에너지를 효율적으로 이용한다.
동물	• 곰이나 다람쥐는 먹이를 구하기 어려운 겨울에 ⓓ_____을 자면서 화학 에너지를 효율적으로 이용한다. • 북극곰은 빽빽한 털과 두꺼운 지방으로 빠져나가는 열에너지의 양을 줄인다.

▲ 에너지 소비 효율 등급 ▲ 에너지 절약 표시 ▲ 이중창 ▲ 건물의 태양 전지 ▲ 겨울눈

2. 에너지를 효율적으로 사용했을 때의 좋은 점

① 의도하지 않은 방향으로 전환되는 에너지의 양을 줄일 수 있다.

② 적은 양의 에너지로 더 많은 일을 할 수 있다.

③ 전기 에너지를 만드는 과정에서 일어나는 환경 오염을 줄일 수 있다.

★ 더 알아보기 에너지를 효율적으로 사용해야 하는 이유

에너지를 이용하면 없어지지 않고 여러 다른 형태의 에너지로 전환된다. 에너지는 한 형태에서 다른 형태로 전환될 뿐 새로 생성되거나 소멸되지 않는다. 이를 에너지 보존 법칙이라고 한다. 그러나 에너지가 다른 에너지로 전환될 때 에너지 전환 방향에 제약이 있다. 운동 에너지나 전기 에너지는 모두 열에너지로 바뀔 수 있지만 열에너지는 일부만 운동 에너지, 위치 에너지, 전기 에너지 등으로 바뀔 수 있다. 열에너지 전체를 다른 형태의 에너지로 완전히 바꾸는 것은 불가능하다. 따라서 에너지를 이용할수록 사용할 수 있는 형태의 에너지양이 줄어들므로 에너지가 부족해진다. 그러므로 에너지를 효율적으로 사용하고자 하는 지속적인 노력이 필요하다.

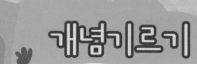

01 다음 중 각 물체가 에너지를 얻는 방법에 대한 설명으로 옳지 <u>않은</u> 것은 어느 것입니까? ( )

① 휴대 전화 : 충전기의 플러그를 콘센트에 꽂아 전기 에너지를 얻는다.
② 자동차 : 주유소에서 연료를 넣는다.
③ 사람 : 물을 마심으로써 에너지를 얻는다.
④ 식물 : 햇빛을 받아 양분을 만든다.
⑤ 과일 전지 시계 : 과일 전지에서 전기 에너지가 만들어진다.

02 다음 중 살아가는 데 필요한 에너지를 태양의 빛에너지로부터 직접 얻는 생물을 <u>모두</u> 고르세요.(,)

① 매　　　　② 닭　　　　③ 벼
④ 호랑이　　⑤ 감나무

03 다음 중 에너지의 형태에 대한 설명으로 옳은 것은 어느 것입니까? ( )

① 운동 에너지는 물체의 온도를 높이는 에너지이다.
② 전기 에너지는 주위를 밝게 비추는 에너지이다
③ 빛에너지는 높은 곳에 있는 물체가 가지는 에너지이다.
④ 화학 에너지는 생명 활동에 필요한 에너지이다.
⑤ 열에너지는 움직이는 물체가 가지는 에너지이다.

04 다음 중 책상 위에 놓인 책과 같은 형태의 에너지를 가지고 있는 것은 어느 것입니까? ( )

① 햇빛　　　　　　② 움직이는 학생
③ 가스레인지 불꽃　④ 천장에 매달린 모빌
⑤ 장난감 자동차 안의 전지

05 다음 두 사진에서 공통으로 관련된 에너지의 형태는 어느 것입니까? ( )

▲ 전기난로　　　　▲ 불꽃놀이

① 전기 에너지　② 화학 에너지　③ 운동 에너지
④ 위치 에너지　⑤ 열에너지

06 다음은 움직이는 범퍼카에서 일어나는 에너지 전환 과정을 나타낸 것입니다. ( ) 안에 들어갈 에너지의 형태로 가장 알맞은 것은 어느 것입니까? ( )

▲ 범퍼카

( ) → 운동 에너지

① 빛에너지　　② 열에너지　　③ 위치 에너지
④ 전기 에너지　⑤ 화학 에너지

07 각 상황과 에너지 전환 과정을 옳게 짝지은 것은 어느 것입니까? ( )

① 불이 켜진 전등 : 전기 에너지 → 화학 에너지
② 떠오르는 열기구 : 위치 에너지 → 열에너지
③ 달리는 아이 : 화학 에너지 → 운동 에너지
④ 떨어지는 폭포수 : 운동 에너지 → 전기 에너지
⑤ 비탈을 오르는 롤러코스터 : 위치 에너지 → 운동 에너지

08 다음 중 가장 사용하기 편리한 에너지는 어느 것입니까? ( )

① 열에너지 ② 전기 에너지 ③ 빛에너지
④ 화학 에너지 ⑤ 위치 에너지

09 오른쪽 그림과 같이 태양 전지가 태양을 향하도록 놓고 태양광 해파리의 움직임을 관찰하였습니다. 이에 대한 설명으로 옳지 <u>않은</u> 것은 어느 것입니까? ( )

태양 전지

① 태양 전지가 태양을 향하면 해파리가 계속 돌아간다.
② 태양 전지를 손으로 가리면 돌아가던 해파리가 멈춘다.
③ 태양 전지는 빛에너지를 전기 에너지로 전환한다.
④ 전동기는 전기 에너지를 빛에너지로 전환한다.
⑤ 빛의 세기, 프로펠러에 매단 종이의 무게에 따라 태양광 해파리가 돌아가는 빠르기가 다르다.

10 다음 중 ( ) 안에 들어갈 단어로 알맞은 것은 어느 것입니까? ( )

> 동물과 식물이 에너지를 얻는 과정과 우리 생활에서 이용하는 에너지는 ( ) 에너지로부터 전환된 것이다.

① 흙 ② 물 ③ 불
④ 공기 ⑤ 태양

11 다음은 전구 (가)~(라)가 사용한 전기 에너지의 양과 빛의 밝기를 비교한 표입니다. 에너지를 가장 효율적으로 이용하는 전구는 어느 것입니까? ( )

구분	비교 결과
사용한 전기 에너지의 양	(나) < (가) < (다) < (라)
빛의 밝기	(가) = (나) = (다) = (라)

① (가) ② (나) ③ (다)
④ (라) ⑤ 모두 같다.

12 다음 중 에너지를 효율적으로 사용하는 방법으로 옳지 <u>않은</u> 것은? ( )

① 전기 기구는 에너지 소비 효율 등급이 1등급인 제품을 구입한다.
② 냉난방 중 출입문을 항상 열어두어야 하는 곳에는 에어 커튼을 설치한다.
③ 건축물을 지을 때 열이 잘 빠져나가지 않는 이중창을 설치한다.
④ 발광 다이오드(LED)등 대신 백열등을 설치한다.
⑤ 대기 전력 기준을 만족한 에너지 절약 표시가 있는 기구를 사용한다.

서술형으로 다지기

손에 잡히는 문제 해결

에너지란 무엇인가요?

↓

생활 속에서 어떤 종류의
에너지가 이용되나요?

↓

생활 속에서 에너지라는 말을
사용할 때는 어떤 경우인가요?

01 기계를 움직이거나 생물이 살아가는 데에는 에너지가 필요합니다. 생활 속에서 에너지라는 말을 사용하는 예를 <u>두 가지</u> 적어보세요.

손에 잡히는 문제 해결

사진은 어떤 상황인가요?

↓

사진 속 물체 중 에너지를
가지고 있는 것은 무엇인가요?

에너지의 형태에는 어떤 것이 있나요?

02 다음 사진과 같은 상황에서 볼 수 있는 에너지의 형태와 그 에너지를 가지고 있는 물체를 <u>두 가지</u> 적어보세요.

03 모닥불이 탈 때 나무의 화학 에너지가 열에너지와 빛에너지로 전환됩니다. 직접 불을 붙이는 것 외에 다른 형태의 에너지가 열에너지로 바뀌는 예를 두 가지 적어 보세요.

🔍 손에 잡히는 문제 해결

에너지가 한 형태에서 다른 형태로 바뀌는 것을 무엇이라고 하나요?

▼

열에너지의 특징은 무엇인가요?

▼

생활 속에서 열에너지가 생기는 경우는 언제인가요?

04 겨울이 되면 목련은 겨울눈을 만들고, 다람쥐는 겨울잠을 잡니다. 겨울눈과 겨울잠의 공통점을 에너지와 연관지어 적어보세요.

▲ 목련의 겨울눈

▲ 다람쥐의 겨울잠

🔍 손에 잡히는 문제 해결

식물이 겨울눈을 만드는 이유는 무엇인가요?

▼

동물이 겨울잠을 자는 이유는 무엇인가요?

▼

겨울눈과 겨울잠에는 어떤 공통점이 있나요?

융합사고력 키우기

STEAM ✦

- ☑ **Science**
  - ▶ 에너지
- ☑ **Technology**
  - ▶ 단열
- ☑ **Engineering**
  - ▶ 패시브 기술
- ☐ **Art**
- ☐ **Mathematics**

용어 풀이

☑ **자급자족(스스로 自, 줄 給, 스스로 自, 채울 足)**
필요한 것을 스스로 만들어 사용함

☑ **손실(덜 損, 잃을 失)**
잃어버리거나 손해를 봄

☑ **패시브(passive) 기술**
최소한의 냉난방으로 적절한 실내 온도를 유지하는 기술

☑ **신·재생(새 新, 다시 再, 날 生) 에너지**
기존의 화석 연료를 재활용하거나 재생 가능한 에너지를 변환시켜 이용하는 에너지

☑ **절감(마디 節, 덜 減)**
아끼어 줄임

☑ **회수(돌아올 回, 거둘 收)**
도로 거두어들임

☑ **제어(막을 制, 다스릴 御)**
목적에 알맞게 작용하도록 조절함

☑ **지열(땅 地, 뜨거울 熱) 히트 펌프(heat pump)**
여름에는 땅속의 찬 공기가, 겨울에는 땅속의 따뜻한 공기가 실내로 들어오도록 만든 냉난방 장치

에너지 제로 주택

도시의 규모가 커지고 인구가 늘어나면서 건물에서 사용하는 에너지 역시 증가하고 있다.

서울 노원구에 위치한 에너지 제로 주택 'EZ House'는 에너지 자급자족을 목표로한 국내 최초 공동주택 단지이다. 이

▲ 에너지 제로 주택 'EZ House'

곳의 최대 장점은 열 손실을 막는 패시브 기술을 이용하여 적은 에너지로도 쾌적한 생활 환경을 유지하고, 태양광, 지열 시스템 등 신·재생 에너지를 이용하여 에너지 비용을 제로화한다는 것이다. 구체적으로 단열 성능을 극대화하는 패시브 기술을 적용하여 약 61 %의 에너지를 절감하였고, 열 회수형 환기 장치, 최적 제어 시설 등 고효율 시설 활용으로 약 13 %의 에너지를 추가로 절감하였다. 동시에 태양 전지, 지열 히트 펌프 등 재생 에너지 기술을 통해 약 33 % 에너지를 생산하고 있어, 결과적으로 약 7 %의 에너지가 남는다. 'EZ House'에서는 화석연료를 사용하지 않고 난방·냉방·급수·조명·환기 등 기본적인 생활을 할 수 있다.

'EZ House' 각 세대는 동일 규모의 2009년 기준주택과 비교하면 제로에너지 기술을 사용하여 연간 약 97만 원 수준의 에너지 비용을 절약할 수 있다.

에너지 제로 주택 ①

1 에너지 제로 주택 'EZ House'의 장점을 <u>두 가지</u> 적어보세요.

2 에너지 제로 주택은 여러 가지 장점이 많지만 몇 가지 아쉬운 점도 있습니다. 에너지 제로 주택의 단점을 적어보세요.

에너지 제로 주택 ②

논술형

3 패시브 하우스(Passive House)는 외부에서 열을 끌어다 쓰는 데 수동적인 집이라는 뜻으로 집안의 에너지가 밖으로 빠져나가는 것을 최대한 막음으로써 적은 에너지를 이용해 냉난방할 수 있도록 설계한 건물을 말합니다. 건물을 설계할 때 에너지 손실을 줄일 수 있는 방법을 적어보세요.

패시브 하우스

탐구력 키우기

속도 조절 선풍기

우리가 사용하는 선풍기는 보통 바람의 세기가 3단으로 조절됩니다. 바람의 세기는 어떻게 조절되는 것일까요? 속도 조절 선풍기를 만들면서 원리를 알아보세요.

준비물

전지 끼우개, 전지 2개, 에나멜선, 가위, 초, 라이터, 클립 2개, 둥근 나무 막대, 둥근 스타이로폼 조각 2개, 사각 스타이로폼 조각, 전동기, 프로펠러

탐구 과정

① 전지를 전지 끼우개에 끼우고, 전지 끼우개의 (+)극 전선을 전동기 왼쪽 구멍에 연결한다.

② 전동기의 다른 쪽은 그냥 전선을 연결하고 끝에 클립을 연결한다.

③ 양면테이프를 이용하여 전동기를 사각 스타이로폼 조각에 붙이고, 전동기에 프로펠러를 끼운다.

④ 에나멜선을 10 cm와 45 cm로 자른 후, 초로 각 에나멜선 끝부분을 가열해 1 cm 정도 벗겨낸다.

⑤ 두 가닥의 에나멜선 한쪽 끝을 전지 끼우개의 (−)극 전선에 연결한다.

⑥ 두 가닥의 에나멜선 다른 끝부분에 각각 클립을 연결한다. 클립에 에나멜선 길이를 구분할 수 있도록 간단하게 표시한다.

⑦ 전동기에 연결된 클립과 에나멜선에 연결된 클립을 연결하여 전동기가 작동하는지 확인한다.

⑧ 둥근 스타이로폼 조각 2개를 겹쳐 놓고, 둥근 막대로 중간을 찔러 구멍을 낸다.

⑨ 전지 끼우개의 (−)극 전선과 에나멜선 두 가닥을 둥근 막대에 감아서 고정한다.

⑩ 양면테이프를 둥근 스타이로폼 구멍 양 옆에 붙인다. 한 양면테이프 위에 클립 두 개를 수직으로 펴서 나란히 붙이고, 둥근 스타이로폼 조각을 둥근 막대에 꽂아 클립을 고정한다.

⑪ 둥근 스타이로폼 조각 위에 양면테이프를 붙이고 전지 끼우개를 고정한다.

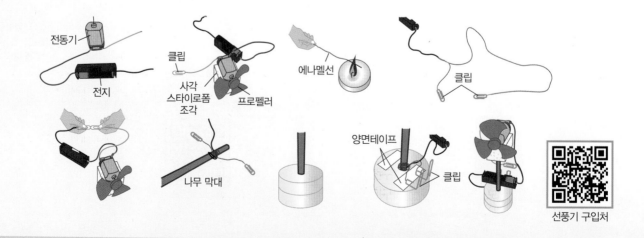

선풍기 구입처

1 전동기의 클립을 각 에나멜선의 클립과 연결했을 때의 변화를 비교하여 적어보세요.

- 10 cm 에나멜선에 연결했을 때 :

- 45 cm 에나멜선에 연결했을 때 :

2 선풍기의 풍속이 달라진 이유를 적어보세요.

3 선풍기 바람을 세게 할 수 있는 방법을 <u>두 가지</u> 적어보세요.

STEAM

4 일반적인 선풍기는 풍속을 조절하기 위해서는 강풍, 약풍, 미풍 버튼을 누릅니다. 그러나 날개 없는 선풍기는 버튼을 누르지 않고 돌려서 풍속을 조절합니다. 돌려서 풍속을 조절하는 선풍기의 원리를 적어보세요.

▲ 버튼을 눌러서 풍속을 조절하는 선풍기

▲ 버튼을 돌려서 풍속을 조절하는 선풍기

II 계절의 변화

04 계절의 변화

이 단원의 주요 내용

계절에 따라 태양의 남중 고도와 그림자의
길이, 기온, 낮과 밤의 길이가 달라짐을
이해하고, 계절의 변화는 지구의 자전축이
기울어진 채 공전하기 때문에
생긴다는 것을 알아본다.

⭐ **2015 개정 교육과정 교과서**

    초등 5〜6학년 군 :

        6학년 2학기 2단원 계절의 변화

⭐ **다른 학년과의 연계**

    초등 5〜6학년 군 : 날씨와 우리 생활, 지구와 달의 운동

    중학교 1〜3학년 군 : 태양계

04 계절의 변화

개념 더하기

● 태양의 높이를 고도로 표현하는 이유

태양은 지구 밖에 위치하기 때문에 태양의 높이를 km와 같은 길이 단위로 나타낼 수 없다. 하늘에 떠 있는 태양의 높이를 나타낼 때는 각도를 이용한다.

● 하루 동안 태양 고도 변화

지구가 자전하기 때문에 태양 고도가 변한다.

▲ 태양 고도가 낮을 때–오전, 오후

▲ 태양 고도가 높을 때–정오

용어 풀이

☑ 태양 고도(높을 高, 정도 度)
태양이 지표면과 이루는 각

☑ 정오(바를 正, 낮 午)
낮 12시

정답
ⓐ 고도 ⓑ 높아 ⓒ 낮아
ⓓ 짧아 ⓔ 짧아 ⓕ 높아

---

1 하루 동안 태양 고도, 그림자 길이, 기온 변화

1. 태양 고도

① 태양 ⓐ_____ : 태양이 지표면과 이루는 각의 크기
② 태양 고도 측정 방법 : 실을 연결한 막대기를 지표면에 수직으로 세우고 그림자 끝과 막대기의 실이 이루는 각을 측정한다.

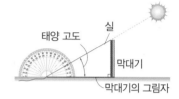

③ 막대기 길이와 태양 고도 : 막대기 길이에 관계없이 태양 고도는 일정하다.

2. 하루 동안 태양 고도, 그림자 길이, 기온 측정하기

★ 탐구 │ 하루 동안의 태양 고도, 그림자 길이, 기온 측정하기

탐구 과정
① 태양 고도 측정기를 태양 빛이 잘 드는 편평한 곳에 놓는다.
② 막대기의 그림자 길이를 측정한다.
③ 실을 막대기의 그림자 끝에 맞춘 뒤, 그림자와 실이 이루는 각을 측정한다.
④ 같은 시각에 기온을 측정한다.
⑤ 시간 간격을 정하여 태양 고도, 그림자 길이, 기온을 측정한다.

실험 결과 및 결론

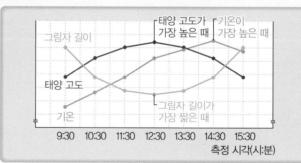

① 태양 고도는 오전에 점점 ⓑ_____지다가 낮 12시 30분경에 가장 높고, 오후에 점점 낮아진다.
② 기온은 14시 30분까지 서서히 높아지다가 그 후에는 점점 ⓒ_____진다.
③ 그림자의 길이는 오전에 점점 ⓓ_____지다가 낮 12시 30분이 지나면 점점 길어진다.
④ 태양 고도가 높아질수록 그림자의 길이는 ⓔ_____지고, 기온은 ⓕ_____진다.
⑤ 태양 고도가 가장 높을 때와 기온이 가장 높을 때는 약 두 시간 정도 시간 차이가 난다.
태양 에너지가 지표면을 데우고, 데워진 지표면에 의해 공기의 온도가 높아지는데, 공기가 데워지는데 시간이 걸리기 때문이다.

3. 태양의 남중 고도

① ⓐ＿＿＿＿ : 태양이 정남쪽 왔을 때

② 태양의 ⓑ＿＿＿＿＿＿ : 태양이 남중했을 때의 고도

③ 우리나라 태양의 남중 고도 시간 : 12시 30분

④ 특징

- 태양 고도 : 하루 중 가장 높다.
- 그림자 : 정북쪽을 향하고 길이가 가장 짧다.

2 계절에 따른 태양의 남중 고도와 낮의 길이 변화

1. 계절별 태양의 위치 변화

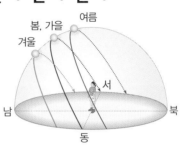

① 여름에는 태양의 남중 고도가 가장 ⓒ＿＿＿고, 겨울에는 가장 ⓓ＿＿＿으며, 봄과 가을은 중간 정도이다.

② 태양은 여름에는 북동쪽, 겨울에는 남동쪽, 봄과 가을에는 동쪽에서 보이기 시작한다.

2. 계절에 따른 태양의 남중 고도와 낮의 길이

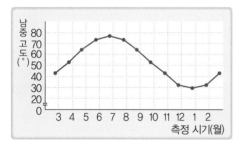 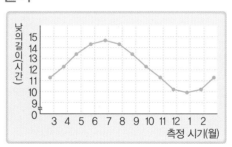

① 태양의 남중 고도는 6~7월에 가장 ⓔ＿＿＿고 12~1월에 가장 ⓕ＿＿＿다.

② 낮의 길이는 6~7월에 가장 길고 12~1월에 가장 짧다.

③ 태양의 남중 고도가 높으면 낮의 길이가 ⓖ＿＿＿지고, 태양의 남중 고도가 낮으면 낮의 길이가 ⓗ＿＿＿진다.

여름	겨울
• 태양의 남중 고도가 가장 높다. • 낮의 길이가 가장 길다.	• 태양의 남중 고도가 가장 낮다. • 낮의 길이가 가장 짧다.

04 계절의 변화

개념 더하기

● 계절에 따라 온도가 달라지는 원인에 대한 틀린 생각

• 여름에는 태양과 지구가 가까워져 온도가 높고, 겨울에는 멀어져 온도가 낮다. ➡ 우리나라가 가장 더운 여름일 때 지구는 태양으로부터 가장 멀리 떨어져 있다. 계절에 따른 태양과 지구 사이의 거리 변화의 차이는 3 %이며, 이는 계절의 변화에 큰 영향을 주지 않는다.

여름 ─────────── 겨울
1억 5,210만 km ┤├ 1억 4,710만 km

• 여름에는 태양이 뜨거워지고 겨울에는 덜 뜨겁다. ➡ 태양 표면의 온도는 계절에 따라 차이가 거의 없다.

용어 풀이

▼ 태양 복사(바퀴살 輻, 쏠 射) 에너지
태양이 방출하는 에너지

정답

ⓑ 높을 ⓒ 낮을
ⓓ 태양의 남중 고도
ⓔ 태양의 남중 고도
ⓐ 각 ⓕ 높 ⓖ 낮
ⓕ 높 ⓖ 낮

3 계절에 따른 기온 변화

1. 태양의 남중 고도에 따른 기온 변화

★탐구 태양의 남중 고도에 따른 기온 변화 비교하기

🎈 **탐구 과정**

• 다르게 해야 할 조건 : 전등과 모래가 이루는 ⓐ_____
• 같게 해야 할 조건 : 전등과 모래 사이의 거리, 전등을 켠 시간, 전등의 종류, 페트리 접시 크기
① 페트리 접시 두 개에 모래를 각각 채운다.
② 전등과 모래가 이루는 각이 하나는 크게, 다른 하나는 작게 각각 설치한다.
③ 전구와 페트리 접시의 거리가 20 cm가 되도록 조정한 후 온도를 측정한다.
④ 전등을 켜고 5분이 지난 뒤 온도를 측정한다.

🎈 **탐구 결과 및 결론**

전등과 모래가 이루는 각	처음 온도(℃)	나중 온도(℃)	온도 변화(℃)
클 때(여름)	23	58	35
작을 때(겨울)	23	40	17

① 전등과 모래가 이루는 각이 ⓑ_____면 모래의 온도 변화가 크고, 전등과 모래가 이루는 각이 ⓒ_____면 모래의 온도 변화가 작다. ➡ 각이 클 때 모래의 온도가 더 많이 올라간다.
② 전등과 모래가 이루는 각은 자연에서 ⓓ_____를 의미한다.
③ 계절에 따라 ⓔ_____가 달라지기 때문에 계절에 따라 기온이 달라진다.

2. 계절에 따른 기온 변화

여름	겨울
남중 고도가 높다.	남중 고도가 낮다.
➡ 태양 복사 에너지가 좁은 지역에 집중된다.	➡ 태양 복사 에너지가 넓은 지역에 퍼진다.
➡ 기온이 ⓕ____다.	➡ 기온이 ⓖ____다.

4 계절의 변화가 생기는 이유

1. 자전축의 기울기에 따른 태양의 남중 고도와 낮의 길이

★탐구 계절 변화의 원인 알아보기

탐구 과정

- 다르게 해야 할 조건 : 지구의의 자전축 ⓐ_____
- 같게 해야 할 조건 : 전등과 지구의 사이의 거리, 태양의 남중 고도 측정 위치
① 태양 고도 측정기를 지구의의 우리나라 위치에 붙인다.
② 지구의의 자전축을 공전 궤도면에 수직으로 맞추고 전등으로부터 30 cm 거리에 둔다.
③ 전등의 높이를 태양 고도 측정기의 높이와 비슷하게 조절하고 전등을 켠 후 태양의 남중 고도를 측정한다.
④ 지구의를 시계 반대 방향으로 공전시켜 각 위치에서 태양의 남중 고도를 측정한다.
⑤ 지구의의 자전축을 23.5° 기울인 후 같은 방법으로 태양의 남중 고도를 측정한다.

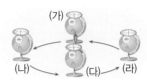
▲ 지구의의 자전축이 공전 궤도면에 수직일 때

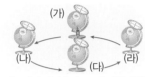
▲ 지구의의 자전축이 23.5° 기울어졌을 때

탐구 결과 및 결론

지구의의 위치	(가)	(나)	(다)	(라)
지구의의 자전축이 수직인 채 공전할 때 태양의 남중 고도(°)	52	52	52	52
지구의의 자전축이 기울어진 채 공전할 때 태양의 남중 고도(°)	52	76	52	29

① 지구의의 자전축이 ⓑ_____인 채 공전할 때는 태양의 남중 고도가 변하지 않는다.
② 지구의의 자전축이 ⓒ_____진 채 공전할 때는 태양의 남중 고도가 변한다.
③ 지구의 자전축이 ⓓ_____진 채 태양 주위를 ⓔ_____하기 때문에 계절의 변화가 생긴다.

2. 계절이 변하는 이유

지구가 (나) 위치에 있을 때	지구가 (라) 위치에 있을 때
• 우리나라의 태양의 남중 고도가 ⓕ_____다. ➡ 태양 복사 에너지가 좁은 지역에 집중된다. ➡ 기온이 높다. ➡ ⓖ_____	• 우리나라의 태양의 남중 고도가 ⓗ_____다. ➡ 태양 복사 에너지가 넓은 지역에 퍼진다. ➡ 기온이 낮다. ➡ ⓘ_____

01 다음 중 태양 고도를 측정할 때의 설명으로 옳은 것을 모두 고른 것은 어느 것입니까? ( )

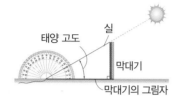

보기

㉠ 태양 고도 측정기는 태양 빛이 잘 들지 않는 어두운 곳에 둔다.
㉡ 막대는 지표면과 수직으로 세워야 한다.
㉢ 같은 장소에서 지속적으로 측정하는 것이 좋다.

① ㉠ ② ㉡ ③ ㉢
④ ㉠, ㉢ ⑤ ㉡, ㉢

02 다음 중 하루 동안 태양 고도가 달라지는 이유로 옳은 것은 어느 것입니까? ( )

① 지구가 공전하기 때문이다.
② 지구의 자전축이 기울어졌기 때문이다.
③ 태양이 자전하기 때문이다.
④ 지구가 자전하기 때문이다.
⑤ 지구가 받는 태양 빛의 양이 다르기 때문이다.

03 다음 중 하루 동안 그림자의 길이 변화에 대한 설명으로 옳은 것은 어느 것입니까? ( )

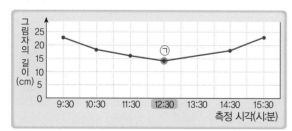

① ㉠일 때 기온이 가장 낮다.
② ㉠일 때 태양 고도를 남중 고도라고 한다.
③ 태양 고도가 높아질수록 그림자의 길이가 길어진다.
④ ㉠일 때 기온이 가장 높다.
⑤ ㉠일 때 태양 고도가 가장 낮다.

04 다음 중 하루 동안 태양 고도가 가장 높은 시각에 기온이 가장 높지 않은 이유로 알맞은 것은 어느 것입니까? ( )

① 태양과 지표면과의 거리가 멀기 때문이다.
② 태양이 지표면을 데우는 데 시간이 걸리기 때문이다.
③ 태양의 고도가 일정하지 않기 때문이다.
④ 태양의 고도와 기온은 관련이 없기 때문이다.
⑤ 기온이 일정하지 않기 때문이다.

05 다음 중 태양의 남중 고도에 대한 설명으로 옳지 않은 것은 어느 것입니까? ( )

① 하루 동안 기온이 가장 높을 때이다.
② 하루 동안 태양 고도가 가장 높을 때이다.
③ 하루 동안 태양이 정남쪽에 위치할 때이다.
④ 하루 동안 그림자의 길이가 가장 짧을 때이다.
⑤ 하루 동안 그림자가 정북쪽을 향할 때이다.

06 다음은 계절에 따른 태양의 위치를 나타낸 것입니다. 이를 통해 알 수 있는 내용으로 옳지 않은 것은 어느 것입니까? ( )

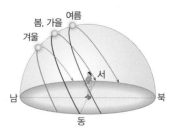

① 봄이 되면 태양의 남중 고도가 점점 높아진다.
② 여름에는 해가 북동쪽에서 뜬다.
③ 여름에는 낮의 길이가 가장 길다.
④ 가을이 되면 낮의 길이가 점점 길어진다.
⑤ 겨울에는 태양의 남중 고도가 가장 낮다.

07 다음 중 빈칸에 들어갈 말로 알맞은 것은 어느 것입니까? ( )

> 보기
> • 태양의 남중 고도가 낮은 계절은 　⊙　 이다.
> • 남중 고도가 낮을 때는 낮의 길이가 　ⓒ　.
> • 낮의 길이가 길수록 평균 기온이 　ⓒ　.

① ⊙-봄 ⓒ-길다 ⓒ-낮다
② ⊙-겨울 ⓒ-짧다 ⓒ-낮다
③ ⊙-가을 ⓒ-짧다 ⓒ-높다
④ ⊙-여름 ⓒ-길다 ⓒ-높다
⑤ ⊙-겨울 ⓒ-짧다 ⓒ-높다

[08~09] 다음은 태양의 남중 고도에 따른 기온 변화를 알아 보기 위한 실험을 나타낸 것입니다. 물음에 답하세요.

08 위 실험에서 같게 해야 할 조건으로 옳지 <u>않은</u> 것은 어느 것입니까? ( )

① 전등의 종류 　　② 전등을 켠 시간
③ 모래의 양 　　④ 페트리 접시의 크기
⑤ 전등과 모래가 이루는 각

09 위 실험을 통해 알 수 있는 사실로 옳지 <u>않은</u> 것은 어느 것입니까? ( )

① 전등과 모래가 이루는 각이 크면 모래의 온도가 많이 올라간다.
② 전등과 모래가 이루는 각이 작으면 모래의 온도 변화가 작다.
③ 전등과 모래가 이루는 각은 태양의 남중 고도를 의미한다.
④ 전등이 직접 공기를 데워 기온이 높아진다.
⑤ 남중 고도가 높을수록 기온이 높아진다.

10 다음 중 계절에 따라 기온이 달라지는 이유로 옳은 것은 어느 것입니까? ( )

① 태양과 지구 사이의 거리가 달라지기 때문이다.
② 계절마다 태양의 남중 고도가 달라지기 때문이다.
③ 그림자의 길이가 변하기 때문이다.
④ 계절마다 구름의 양이 다르기 때문이다.
⑤ 여름에는 겨울보다 태양 표면의 온도가 더 뜨거 워지기 때문이다.

11 다음은 지구가 태양 주위를 공전하는 모습을 나타낸 것입니다. 지구가 ㉣ 위치에 있을 때 우리나라의 모 습으로 옳은 것은 어느 것입니까? ( )

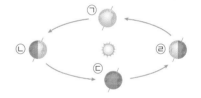

① 낮의 길이가 가장 길다.
② 태양 복사 에너지가 좁은 지역에 집중된다.
③ 해가 빨리 뜨고 늦게 진다.
④ 기온이 점점 낮아진다.
⑤ 태양의 고도가 높아진다.

12 다음 중 계절이 변하는 이유로 옳은 것은 어느 것입 니까? ( )

① 지구가 자전하기 때문이다.
② 지구의 자전축이 기울어진 채 태양 주위를 공전 하기 때문이다.
③ 태양이 지구 주변을 공전하기 때문이다.
④ 지구의 자전축이 수직이기 때문이다.
⑤ 태양이 자전하기 때문이다.

서술형으로 다지기

손에 잡히는 문제 해결

태양 고도가 높을 때는 언제인가요?

⬇

태양 고도가 낮을 때는 언제인가요?

⬇

태양 고도가 높으면,
그림자의 길이는 어떻게 되나요?

01 다음은 태양 고도를 측정하는 방법을 나타낸 것입니다. 태양 고도와 막대기의 그림자 사이의 관계를 적어보세요.

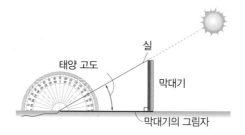

손에 잡히는 문제 해결

햇빛이 지구로 들어올 때
모습은 어떠한가요?

⬇

태양 고도와 그림자는
어떤 관계인가요?

⬇

막대기가 길어지면 태양 고도는
어떻게 되나요?

02 다음은 하루 동안 태양 고도를 측정한 그래프입니다. 같은 날, 같은 시각, 같은 장소에서 처음 사용한 막대기보다 더 긴 막대기를 사용하여 태양 고도를 측정한다면 어떤 차이점이 있을지 이유와 함께 적어보세요.

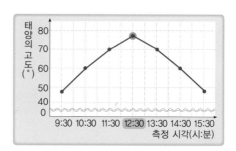

03 다음과 같이 장치하고 모래의 온도 변화를 측정하였더니 전등과 모래가 이루는 각이 클 때 모래의 온도가 더 많이 올라갔습니다. 이 실험 결과를 이용하여 여름에 기온이 높고 겨울에 기온이 낮은 이유를 적어보세요.

▲ 전등과 모래가 이루는 각이 클 때

▲ 전등과 모래가 이루는 각이 작을 때

손에 잡히는 문제 해결

전등과 모래가 이루는 각은 자연에서 무엇을 의미하나요?

전등과 모래가 이루는 각이 클 때 전등 빛이 비추는 면적은 어떠한가요?

태양 고도가 높아지면 기온은 어떻게 되나요?

04 다음과 같이 지구의 자전축이 수직인 채 공전할 때 우리나라의 계절 변화를 적어보세요.

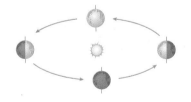

손에 잡히는 문제 해결

자전축이 수직인 채 공전하면 일 년 동안 우리나라의 남중 고도는 어떻게 변하나요?

남중 고도와 지표면이 받는 태양 복사 에너지는 어떤 관계가 있나요?

지표면이 받는 태양 복사 에너지와 기온은 어떤 관계가 있나요?

STEAM

☑ **Science**
▶ 태양 고도와 계절

☑ **Technology**
▶ 남중 고도

☑ **Engineering**
▶ 스톤헨지

☐ **Art**

☐ **Mathematics**

고대의 천체 관측소, 스톤헨지

영국의 솔즈베리 초원에 남아 있는 스톤헨지는 '공중에 걸쳐 있는 돌'이라는 뜻을 가진 고대 문명(기원전 3천 년 경)의 천체 관측소였다. 스톤헨지는 인공으로 깎은 돌들을 일정한 구조로 배치하여 만들었다. 지름 114 m의 도랑 안쪽에 지름 30 m의 돌이 원형을 이루며 서 있고 그 위에 난간처럼 돌이 놓여 있다. 그 안쪽에는 6~7 m 높이의 돌기둥 2개 위에 가로로 한 개의 돌이 놓인 탑 5개가 U자형으로 배치되어 있다. 스톤헨지 도랑 바깥쪽 먼 곳에는 힐스톤이라는 거대한 돌이 있는데, 힐스톤은 U자형의 가운데 탑과 나란하다.

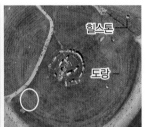

1년 중 낮이 가장 긴 하짓날에는 태양이 정확히 힐스톤 위로 떠올라 U자형 첫 번째 탑 방향으로 진다. 1년 중 낮이 가장 짧은 동짓날은 태양이 U자형 마지막 탑 위로 떠올라 힐스톤 정반대 방향으로 진다. 매년 하지가 되면 사람들은 힐스톤 위로 떠오르는 일출을 보기 위해 스톤헨지를 찾는다.

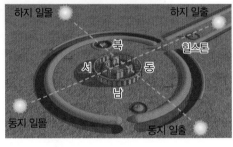

1 스톤헨지가 고대 천체 관측소라고 생각하는 근거는 무엇인가요?

용어 풀이

☑ **도랑**
매우 좁고 작은 개울

☑ **하지(여름 夏, 이를 至)**
북반구에서 낮이 가장 길고 밤이 가장 짧은 날로, 양력 6월 21일 또는 22일이다.

☑ **동지(겨울 冬, 이를 至)**
북반구에서 낮이 가장 짧고 밤이 가장 긴 날로, 양력 12월 21일 또는 22일이다.

☑ **일출(태양 日, 날 出)**
태양이 떠오름

☑ **일몰(태양 日, 가라앉을 沒)**
태양이 짐

☑ **앙부일구(우러를 仰, 가마 釜, 날 日, 그림자 晷)**
조선 시대에 사용하던 해시계

2 스톤헨지는 계절에 따른 태양의 움직임을 관찰할 수 있는 유적입니다. 오랜 옛날부터 태양의 움직임을 바탕으로 계절의 변화를 알아내고자 노력했습니다. 계절의 변화를 알아내려는 이유를 적어보세요.

▲ 하지 일출
▲ 동지 일몰

손에 잡히는 STEAM

고대 시대 사람들은 살아가기 위해 무엇을 가장 중요하게 생각했나요?

▼

태양은 우리 생활에 어떠한 영향을 미치나요?

▼

계절의 변화를 알아내려는 이유는 무엇인가요?

논술형

3 우리나라 조선 시대에도 태양의 위치와 계절의 변화를 확인하기 위한 해시계인 앙부일구가 있었습니다. 스톤헨지와 앙부일구로 계절의 변화를 알 수 있는 원리를 적어보세요.

손에 잡히는 STEAM

계절의 변화가 생기는 이유는 무엇인가요?

▼

계절에 따라 태양의 움직임은 어떻게 달라지나요?

▼

스톤헨지와 앙부일구로 계절의 변화를 알 수 있는 원리는 무엇인가요?

해시계

시간을 재는 장치 중에서 인류가 가장 먼저 이용한 것은 해시계이다. 해시계를 만들어 보며 해시계의 원리를 알아보세요.

준비물

해시계 부록(p.105), 나침반, 셀로판테이프 또는 양면테이프

탐구 과정

① 해시계 부록을 뜯어낸 후 영침을 마주보도록 붙인다.
② 영침을 접어서 수직으로 세운다.
③ 시각판의 12시 부분이 이어지도록 붙인다.
④ 시각판을 해시계 설명서 뒷부분에 붙인다.
⑤ 영침 끝부분이 북쪽을 향하도록 놓는다.
⑥ 영침의 그림자를 이용해 시각을 읽는다.

주의사항

• 이 해시계는 위도 37° 지역인 서울을 기준으로 한 것이다.
• 영침은 그 지역의 위도만큼 기울어져 있다.
• 해시계를 북쪽으로 정확하게 놓고 시각을 측정한다.

1 해시계로 시각을 측정할 수 있는 원리를 적어보세요.

2 우리나라에서 해시계로 시각을 측정하면 우리가 사용하는 시계의 시각과 약 30분 정도 오차가 생깁니다. 해시계로 측정한 시각에 오차가 생기는 이유를 적어보세요.

3 시계는 아주 오랜 옛날부터 전 세계적으로 사용되어 왔습니다. 그러나 고대의 시계 역할을 했던 오벨리스크는 정확한 해시계라고 할 수 없습니다. 반면 둥근 그릇처럼 생긴 조선 시대의 앙부일구는 독창적인 발명품입니다. 앙부일구가 평면 해시계보다 더 정확하고 독창적인 시계인 이유를 적어보세요.

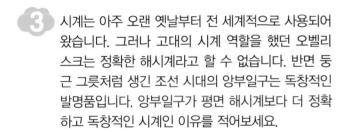

▲ 이집트 룩소르, 오벨리스크　　▲ 앙부일구

STEAM

4 해시계는 그림자로 시각을 측정하기 때문에 해가 뜨지 않는 밤이나 날씨가 흐린 날에는 물시계를 이용하였습니다. 세종 16년에 장영실이 만든 자격루는 자동으로 시각을 알려주는 최초의 물시계입니다. 자격루의 원리를 적어보세요.

자격루

Ⅲ 연소와 소화

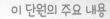

이 단원의 주요 내용

일상생활에서 관찰할 수 있는 연소 현상을 이해하고 안전한 생활을 위해 소화의 중요성을 안다. 연소의 조건과 관련지어 소화의 조건을 이해하여 화재에 대한 안전 대책을 익힌다.

⭐ 2015 개정 교육과정 교과서

초등 5~6학년 군 :
　　　6학년 2학기 3단원 연소와 소화

⭐ 다른 학년과의 연계

초등 3~4학년 군 : 물질의 상태
초등 5~6학년 군 : 여러 가지 기체
중학교 1~3학년 군 : 재해 · 재난과 안전,
　　　　　　　화학 반응의 규칙과 에너지 변화

05 연소의 조건

개념 더하기

● 촛불의 색

지구에서는 중력이 있어 대류 현상이 일어난다. 데워진 공기는 위로 올라가고 아랫부분으로 새로운 공기가 공급된다. 아랫부분에서는 산소가 많아 초가 완전히 타서 불꽃이 푸른색이고, 윗부분에서는 산소가 부족해 초가 완전히 타지 못하여 붉은색을 나타낸다.

● 촛불의 모양

대류에 의해 뜨거워진 공기가 위쪽으로 올라가기 때문에 불꽃이 위쪽으로 길게 늘어난다. 무중력인 우주정거장에서는 촛불의 모양이 동그랗다.

▲ 지구   ▲ 우주정거장

● 촛불 윗부분이 뜨거운 이유

촛불에 의해 데워진 공기가 대류 현상에 의해 위로 올라가기 때문이다.

정답

1 물질이 탈 때 나타나는 현상

1. 초와 알코올램프의 알코올이 탈 때 나타나는 현상

구분	초가 탈 때	알코올램프의 알코올이 탈 때
타는 모습		
불꽃의 모양, 색깔, 밝기	• 위아래로 길쭉하다. • 불꽃의 색깔은 노란색, 붉은색이다. • 윗부분은 밝고, 아랫부분은 어둡다. • 불꽃의 위치에 따라 밝기가 다르다.	• 위아래로 길쭉하다. • 불꽃의 색깔은 푸른색, 붉은색이다. • 불꽃 주변이 밝아진다.
시간에 따라 변하는 모습	• 초가 녹아 촛농이 흘러내린다. • 흘러내린 촛농이 굳어 고체가 된다.	• 알코올의 양이 줄어든다.
손을 가까이 했을 때	• 불꽃의 ⓐ____ 부분이 아랫부분이나 옆부분보다 더 뜨겁다. • 손이 점점 따뜻해진다.	• 불꽃의 윗부분이 아랫부분이나 옆 부분보다 더 뜨겁다. • 손이 점점 따뜻해진다.
심지와 심지 근처의 변화	• 심지 윗부분은 검은색이고, 아랫부분은 하얀색이다. • 심지 주변이 움푹 팬다.	• 심지 윗부분은 검은색이고, 아랫부분은 하얀색이다.
무게 변화	• 초의 길이가 점점 ⓑ____진다. • 초의 무게가 점점 ⓒ____워진다.	• 알코올의 높이가 점점 ⓓ____진다. • 알코올의 무게가 점점 가벼워진다.
기타	• 불꽃이 바람에 흔들린다. • 불꽃 끝부분에서 하얀색 연기가 난다.	• 불꽃이 바람에 흔들린다.

2. 물질이 탈 때 나타나는 공통적인 현상

① 불꽃 주변이 밝고 따뜻해진다.

② 물질이 빛과 ⓔ____을 내면서 탄다.

③ 물질의 양이 변한다.

3. 물질이 타면서 발생하는 빛과 열을 이용하는 예

① 어두운 곳을 밝힌다.

② 요리할 때 이용한다.

③ 난방할 때 이용한다.

▲ 청사초롱

▲ 가스레인지

▲ 벽난로

2 초의 연소와 산소

1. 촛불을 집기병으로 덮기
① 촛불을 집기병으로 덮으면 공기가 통하지 않아 불이 ⓐ____진다.
② 촛불에 집기병을 반쯤 덮다가 다시 들면 촛불이 작아졌다가
　　다시 ⓑ____진다.

2. 초가 탈 때 필요한 기체

★탐구　초가 탈 때 필요한 기체

🔹 탐구 과정
① 작은 양초 두 개에 불을 붙인 후 촛불의 크기가 비슷해질 때까지 기다린다.
② 크기가 다른 투명한 아크릴 통으로 촛불을 동시에 덮은 후 초가 타는 시간을 비교한다.
③ 초가 타기 전과 타고 난 후 비커 속에 들어 있는 공기 중의 산소 비율을 측정한다.

큰 아크릴 통　작은 아크릴 통　└ 고무찰흙　검지관　기체 채취기

🔹 실험 결과 및 결론
① 아크릴 통을 덮으면 크기가 ⓒ____ 아크릴 통 속의 초는 빨리 꺼지고, 크기가 ⓓ____ 아크릴 통 속의 초는 오래 탄다.
② 초가 타기 전에 비커 속에 들어 있는 공기 중의 산소 비율은 약 ⓔ____ %이고, 타고 난 후에는 약 17 %이다.

%	7	9	11	13	15	17	19	

▲ 초가 타기 전 비커 속 산소 비율

%	7	9	11	13	15	17	

▲ 초가 타고 난 후 비커 속 산소 비율

③ 초가 타면서 산소를 사용하기 때문에 초가 타기 전보다 타고 난 후의 산소 비율이 ⓕ____ 든다.
④ 공기의 양이 많으면 산소의 양이 ⓖ____기 때문에 초가 더 오래 탄다.

★더 알아보기　촛불 속 과학

① **초가 탈 때 상태 :** 심지에 불을 붙이면 고체 상태의 초가 액체 상태가 되고, 심지를 따라 위쪽으로 올라가 기체 상태로 변하면서 연소된다. 타고 있는 초의 흰 연기에 불을 붙이면 불이 붙는다.

② **심지 역할 :** 심지가 없는 촛불에 불을 붙이면 초가 녹기만 하고 불이 붙지 않는다. 심지는 연료의 이동과 공급을 돕는다.

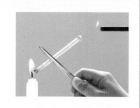

용어 풀이

☑ **집기병**(모을 輯, 기운 氣, 병 瓶)
　기체를 모으는 유리병

정답

ⓖ 많
ⓓ 큰　ⓕ 적　ⓘ 줄어
정답　ⓐ 꺼　ⓑ 커　ⓒ 작은

개념 더하기

3 물질의 연소와 온도

1. 불을 붙이지 않고 물질 연소시키기

★ 탐구 | 불을 붙이지 않고 물질 연소시키기

🧪 **탐구 과정**

① 철판을 삼발이에 올려놓고 성냥 머리 부분을 잘라 철판 가운데에 놓는다.
② 철판 가운데 부분을 알코올램프로 가열하면서 변화를 관찰한다.
③ 성냥 머리 부분과 나무 부분을 철판 가운데로부터 같은 거리에 올려놓는다.
④ 철판 가운데 부분을 알코올램프로 가열하면서 변화를 관찰한다.

🧪 **실험 결과 및 결론**

① 알코올램프로 철판을 가열하면 성냥 머리 부분에 ⓐ_____이 붙는다.
② 성냥의 ⓑ_____ 부분에 먼저 불이 붙고 ⓒ_____ 부분에 불이 붙는다.
③ 물질마다 타기 시작하는 온도가 다르다.
④ 물질이 타기 위해서는 일정한 ⓓ_____에 도달해야 한다.

● 여러 가지 물질의 발화점

물질마다 발화점이 다르다.

물질	온도(℃)
붉은색 인	260
석탄	330~450
숯	360
나무(종이)	400~470
알코올	482
프로페인 가스	525
고무	350

2. 직접 불을 붙이지 않고 물질을 태우는 방법

① 돋보기로 햇빛을 모아 불을 붙인다.
② 부싯돌을 마찰시켜 불을 붙인다.
③ 나무끼리 마찰시켜 불을 붙인다.
④ 번개가 치면 산불이 나기도 한다.
⑤ 전기장판 같은 전기 기구를 오래 사용하면 불이 나기도 한다.

▲ 돋보기　　▲ 부싯돌　　▲ 나무 마찰

3. 발화점

① ⓔ_____ : 물질이 불에 직접 닿지 않아도 타기 시작하는 온도
② 불이 직접 닿지 않아도 물질이 발화점에 도달하면 불이 붙는다.
③ 물질마다 발화점이 다르므로 불이 붙는 데 걸리는 시간이 다르다.
④ 발화점이 ⓕ_____수록 불이 잘 붙는다. 예 발화점 : 성냥 머리<나무

용어 풀이

☑ **부싯돌**
불을 일으키는 데 사용하는 돌

☑ **발화점**(일어날 發, 불 火, 점 點)
물질이 열을 받아서 스스로 탈 수 있는 가장 낮은 온도

정답

ⓐ 불　ⓑ 성냥 머리　ⓒ 나무
ⓓ 온도　ⓔ 발화점　ⓕ 낮을

4 연소

1. 연소 : 물질이 산소와 빠르게 반응하여 빛과 열을 내는 현상

2. 물질이 연소하기 위한 조건

① ⓐ_____

② ⓑ_____

③ ⓒ_____ 이상의 온도

3. 물질의 연소

① 꺼져가는 불에 나무 도막을 넣으면 불이 커진다 : 탈 물질을 넣어주었기 때문이다.

② 불을 피울 때 바람을 불어주면 불이 잘 붙는다 : ⓓ_____를 공급해 주기 때문이다.

③ 전기장판과 같은 전기 기구로 인해 화재가 발생한다 : 전기장판 근처에 있는 먼지 등은 발화점이 낮아 전기 기구에서 발생하는 열에 의해 발화점에 도달하면 불이 붙는다.

▲ 모닥불　　　　▲ 불씨에 바람 불기　　　　▲ 전기장판 화재

★더 알아보기　연소와 공기 공급

① 아크릴 통의 위아래 구멍 중 한 개 또는 모두 막았을 때 : 공기가 계속 공급되지 않아서 촛불이 점점 작아지다가 꺼진다.

② 아크릴 통의 위아래 구멍을 모두 막지 않았을 때 : 공기가 계속 공급되어 촛불이 꺼지지 않고 계속 잘 탄다.

③ 아크릴 통 아래쪽 구멍에 향 연기를 대었을 때 : 향 연기가 통 속으로 들어간 후 위쪽으로 올라간 다음 위쪽 구멍으로 빠져나간다.

▲ 구멍을 막았을 때　　　　▲ 구멍을 모두　　▲ 아래쪽 구멍에
　　　　　　　　　　　　　막지 않았을 때　　향 연기를 댔을 때

④ 촛불이 연소하면 ⓔ_____ 쪽으로는 새로운 공기가 들어오고, ⓕ_____ 쪽으로는 촛불이 연소한 후 새로 생긴 물질이 빠져나간다.

개념더하기

● 종이 냄비

종이는 불에 닿으면 잘 타지만 물이 담긴 종이 냄비는 직접 가열해도 타지 않는다. 열이 물로 전달되어 종이 냄비의 온도가 발화점 이상으로 높아지지 않기 때문이다. 종이 냄비로는 물이 있는 음식만 요리할 수 있고, 종이 냄비 안의 물이 모두 끓고 나면 종이 냄비가 탄다.

용어 풀이

☑ 연소(탈 燃, 탈 燒)
불에 탐

정답

　　　　　　　ⓕ 위

ⓔ 아래　ⓓ 산소　ⓒ 발화점
　　　　　ⓑ 물질　ⓐ 산소

01 다음 중 알코올램프의 알코올이 탈 때 나타나는 변화로 옳지 <u>않은</u> 것은 어느 것입니까? (　　　)

▲ 알코올램프의 알코올

① 불꽃의 모양이 위아래로 길쭉하다.
② 알코올의 높이가 점점 높아진다.
③ 손을 가까이하면 손이 점점 따뜻해진다.
④ 심지 아랫부분은 하얀색이다.
⑤ 불꽃의 색깔은 푸른색, 붉은색이다.

02 다음 중 물질이 탈 때 공통적으로 나타나는 현상으로 옳은 것을 <u>모두</u> 고르세요. (　　,　　)

① 그을음이 생긴다.
② 주변이 어두워진다.
③ 빛과 열이 발생한다.
④ 물질의 양이 변한다.
⑤ 불꽃의 아랫부분이 윗부분보다 뜨겁다.

03 다음 중 물질이 타면서 발생하는 빛과 열을 이용한 예가 <u>아닌</u> 것은 어느 것입니까? (　　　)

① 촛불로 어두운 곳을 밝힌다.
② 쓰레기를 태워 부피를 줄인다.
③ 가스레인지의 가스를 태워 요리를 한다.
④ 캠프파이어를 할 때 나무를 태워 주변을 밝게 한다.
⑤ 아궁이에서 나무를 태워 생기는 열로 난방을 한다.

04 다음과 같이 촛불을 집기병으로 덮었을 때 나타나는 현상에 대한 설명으로 옳은 것은 어느 것입니까? (　　　)

▲ 집기병으로 덮었을 때　　▲ 반쯤 덮다가 다시 들었을 때

① 집기병으로 덮으면 촛불이 더 크고 밝아진다.
② 반쯤 덮으면 공기가 통하지 않아 불이 꺼진다.
③ 촛불을 덮으면 집기병 안에 산소가 발생한다.
④ 반쯤 덮다가 다시 들면 촛불이 작아졌다가 다시 커진다.
⑤ 집기병으로 덮었을 때와 반쯤 덮었을 때 모두 촛불이 꺼진다.

[05~06] 초가 타는데 공기가 미치는 영향을 알아보기 위해 다음과 같이 실험을 하였습니다.

▲ 큰 아크릴 통　　▲ 작은 아크릴 통

05 위 실험에서 다르게 한 조건은 무엇입니까? (　　　)

① 초의 크기　　　　② 초의 성분
③ 아크릴 통의 모양　　④ 아크릴 통의 크기
⑤ 아크릴 통을 덮는 시간

06 위 실험의 결과로 옳은 것은 어느 것입니까? (　　　)

① 촛불이 꺼지지 않는다.
② 동시에 촛불이 꺼진다.
③ 아크릴 통을 덮으면 바로 촛불이 꺼진다.
④ 크기가 큰 아크릴 통에서 초가 더 오래 탄다.
⑤ 크기가 작은 아크릴 통에서 초가 더 오래 탄다.

07 다음과 같이 장치하고 초가 타기 전과 타고 난 후의 비커 속에 들어 있는 공기 중의 산소 비율을 측정하였습니다. 이 실험 결과를 통해 알 수 있는 것으로 옳은 것은 어느 것입니까?   (   )

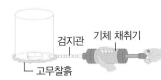

타기 전 산소 비율(%)	타고 난 후 산소 비율(%)
약 21	약 17

① 물질이 타려면 산소가 필요하다.

② 초가 타는 동안 산소의 양이 증가한다.

③ 타기 전보다 타고 난 후 산소 비율이 늘었다.

④ 공기 중의 산소는 물질이 타는 것을 방해한다.

⑤ 공기의 양이 많을수록 산소의 양이 많기 때문에 촛불이 더 빨리 꺼진다.

08 성냥의 머리 부분을 잘라 철판 가운데에 놓고, 철판의 가운데 부분을 알코올램프로 가열하였습니다. 이 실험에 대한 설명으로 옳지 <u>않은</u> 것은 어느 것입니까?   (   )

① 철판과 삼발이가 뜨거우니 면장갑을 껴야 한다.

② 실험하는 동안 얼굴을 철판에 가까이 하지 않아야 한다.

③ 알코올램프로 가열하면 성냥 머리 부분에 불이 붙는다.

④ 철판이 뜨거워지면 성냥 머리 부분의 온도가 낮아진다.

⑤ 성냥 머리 부분에 직접 불을 붙이지 않아도 태울 수 있다.

09 다음 중 발화점과 연소에 대한 설명으로 옳은 것을 <u>모두</u> 고르세요.   (,   )

① 발화점이 높을수록 불이 잘 붙는다.

② 물질이 불에 직접 닿지 않아도 타기 시작하는 온도를 발화점이라고 한다.

③ 천둥이나 번개가 칠 때 나무가 발화점 이상의 온도가 되면 산불이 발생한다.

④ 물질마다 불이 붙는데 걸린 시간이 다른 까닭은 물질의 발화점과 상관없다.

⑤ 불을 붙이지 않아도 물질이 연소하는 이유는 물질이 발화점 이하의 온도에 도달하였기 때문이다.

10 다음 중 물질이 연소하기 위한 조건으로만 바르게 짝지어 진 것은 어느 것입니까?   (   )

① 탈 물질, 물, 산소

② 탈 물질, 물, 발화점 이상의 온도

③ 탈 물질, 산소, 발화점 이하의 온도

④ 탈 물질, 산소, 발화점 이상의 온도

⑤ 탈 물질, 이산화 탄소, 발화점 이상의 온도

11 다음 중 촛불이 꺼지지 않고 계속 탈 수 있는 것은 어느 것입니까?   (   )

①    ②   ③

④   ⑤

서술형으로 다지기

손에 잡히는 문제 해결

촛불의 모양과 색깔은 어떠한가요?

▼

초가 탈 때 시간이 지날수록 달라지는 점은 무엇인가요?

▼

촛불에 의해 데워진 공기는 어느 쪽으로 이동하나요?

01 다음은 성재와 은혜가 촛불을 관찰하면서 나눈 대화입니다. 성재와 은혜가 관찰한 내용 외에 초가 탈 때 나타나는 현상을 <u>두 가지</u> 적고, ㉠에 들어갈 알맞은 말을 적어보세요.

> 성재 : 초가 녹아 액체가 되어 촛농이 흘러내리고 있어.
>
> 은혜 : 심지 근처의 초가 먼저 녹기 시작해서 심지 근처의 초가 움푹 패였어.
>
> 성재 : 손바닥을 촛불 옆쪽에 가까이하면 따뜻하지만, 촛불 위쪽에 가까이하니까 매우 뜨거운 것 같아.
>
> 은혜 : 그건 아마 ㉠ 때문이야.

(1) 초가 탈 때 나타나는 현상 :

(2) ㉠에 들어갈 알맞은 말 :

손에 잡히는 문제 해결

초가 타기 전 비커 속 산소 비율은 몇 %인가요?

▼

초가 타고 난 후 비커 속 산소 비율은 몇 %인가요?

▼

이것으로 알 수 있는 사실은 무엇인가요?

02 다음은 기체 채취기와 검지관으로 초가 타기 전과 타고 난 후의 비커 속 산소 비율을 측정한 결과입니다. 이러한 현상이 나타나는 이유를 적어보세요.

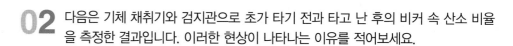

▲ 초가 타기 전 비커 속 산소 비율

▲ 초가 타고 난 후 비커 속 산소 비율

03 다음은 크기가 다른 아크릴 통을 촛불에 덮었을 때 아크릴 통의 부피와 촛불이 꺼지는 데 걸리는 시간의 관계를 나타낸 그래프입니다. 이 그래프를 통해 알 수 있는 점을 적어보세요.

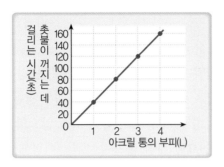

손에 잡히는 문제 해결

촛불이 꺼지는 데 걸리는 시간과 아크릴 통의 부피는 어떤 관계가 있나요?

▼

촛불이 연소하는 데 필요한 물질은 무엇인가요?

▼

아크릴 통의 부피는 촛불이 연소하는 데 필요한 물질 중 무엇과 관련이 있나요?

04 다음과 같이 성냥의 머리 부분과 나무 부분을 철판의 가운데로부터 같은 거리에 올려놓고 철판의 가운데 부분을 알코올램프로 가열하였더니 성냥의 머리 부분에 먼저 불이 붙었습니다. 이 실험을 통해 알 수 있는 점과 그렇게 생각한 이유를 적어보세요.

성냥 머리   나무

철판

손에 잡히는 문제 해결

성냥의 머리 부분과 나무 부분 중 어느 것에 먼저 불이 붙나요?

▼

불이 잘 붙는 물질은 어떤 특징이 있나요?

▼

불이 붙는 시간에 영향을 주는 것은 무엇인가요?

(1) 알 수 있는 점 :

(2) 그렇게 생각한 이유 :

융합사고력 키우기

STEAM

✓ **Science**
  ▶ 연소, 열의 이동

✓ **Technology**
  ▶ 발화점

✓ **Engineering**
  ▶ 종이 냄비

☐ Art

☐ Mathematics

종이 냄비로 라면을 끓이다!

캠핑과 야외 활동을 즐기는 인구가 늘면서 업체들도 기발한 아이디어를 접목한 제품을 내놓고 있다. 특히 종이 냄비나 휴대용 전자레인지 등 이색 캠핑용품들이 캠퍼들의 마음을 사로잡고 있다.

캠핑에도 친환경 바람이 불고 있다. '종이 냄비'는 접착제를 사용하지 않은 조립형이어서 누구나 쉽게 사용할 수 있다. 종이 냄비는 양은 냄비나 캠핑 코펠에 비해 열전도율이 낮아서 냄비 안의 음식이 빨리 식지 않으며 라면은 3~6개까지, 커피 믹스는 7~20잔까지 필요한 물을 끓일 수 있다. 어떻게 종이 냄비로 물을 끓일 수 있을까?

빈 종이 냄비는 공기 중에서 발화점 이상의 온도가 되도록 가열하면 탄다. 그러나 물이 담긴 종이 냄비를 가열하면 물이 열을 흡수하여 끓기 때문에 종이 냄비 자체는 약 100 ℃ 이상으로 온도가 올라가지 않아 타지 않는다. 종이 냄비 용기 안에 충분한 물의 양만 유지된다면 장시간 요리도 가능하며, 내용물만 잘 닦으면 재활용할 수 있어 유용하다.

종이 냄비

용어 풀이

✓ **이색(다를 異, 색깔 色)**
  보통의 것과 다름

✓ **양은(외국 洋, 은 銀)**
  구리, 아연, 니켈 등을 섞어 만든 금속

✓ **코펠**
  조립식 조리도구

✓ **열전도율(더울 熱, 전할 傳, 통 導, 비율 率)**
  열을 전달하는 정도

✓ **방화복(막을 防, 불 火, 옷 服)**
  불길에 의한 피해를 막기 위해 입는 옷

1 양은 냄비나 캠핑 코펠과 비교할 때 종이 냄비의 장점은 무엇인가요?

2 종이 냄비는 간편하게 사용할 수 있지만, 국물이 있는 요리를 할 때만 사용할 수 있습니다. 그 이유를 적어보세요.

손에 잡히는 STEAM

연소의 조건은 무엇인가요?

▼

국물이 없는 종이 냄비를 가열하면 열은 어디로 이동하나요?

▼

국물이 있는 종이 냄비를 가열하면 열은 어디로 이동하나요?

논술형

3 소방관이 1,000 ℃ 이상의 뜨거운 불길 속으로 뛰어들 수 있는 비밀은 소방관의 방화복에 종이 냄비와 같은 원리가 있기 때문입니다. 생활 속에서 이와 같은 원리를 이용한 예를 두 가지 적어보세요.

손에 잡히는 STEAM

종이 냄비의 원리는 무엇인가요?

▼

발화점을 높여 이용하는 예는 무엇이 있나요?

▼

발화점을 낮추어 이용하는 예는 무엇이 있나요?

06 연소 생성물과 소화

개념 더하기

● **염화 코발트 종이**

푸른색 염화 코발트 종이는 물에 닿으면 붉은색으로 변하는 성질이 있어 물이 있는지 확인할 때 사용한다.

● **석회수**

수산화 칼슘을 물에 녹인 용액으로, 이산화 탄소와 만나면 물에 녹지 않는 탄산 칼슘을 형성하므로 뿌옇게 흐려진다.

● **철 솜의 연소 생성물**

• 연소숟가락에 철 솜을 올려놓고 집기병 속에서 연소시킨다.

철 솜

• 푸른색 염화코발트 종이 : 변화 없다.

• 석회수 : 변화 없다.

• 무게 : 늘어난다.

• 철이 연소하면 산소와 결합하여 산화 철로 변한다. 철은 연소 후에 물과 이산화 탄소가 생기지 않고, 결합한 산소의 무게만큼 무게가 늘어난다.

용어 풀이

☑ **석회수**(돌 石, 재 灰, 물 水)
수산화 칼슘을 물에 녹인 무색 투명한 액체

정답

ⓔ 작아 ⓓ 이산화 탄소
ⓒ 물 ⓑ 뿌옇 ⓐ 붉

1 물질이 연소한 후에 생기는 물질

1. 초가 연소한 후에 생기는 물질

⭐ **탐구** 초가 연소한 후에 생기는 물질 알아보기

🔬 **탐구 과정**

① 아크릴 통의 안쪽 벽면에 셀로판테이프로 푸른색 염화 코발트 종이를 붙인다.

② 초에 불을 붙이고 아크릴 통으로 촛불을 덮는다.

③ 촛불이 꺼지면 푸른색 염화 코발트 종이의 변화를 관찰한다.

④ 초에 불을 붙인 뒤 집기병으로 덮는다.

⑤ 촛불이 꺼지면 집기병을 들어 올려 유리판으로 입구를 막고 뒤집어서 식을 때까지 기다린다.

⑥ 집기병에 석회수를 붓고 살짝 흔든 후 변화를 관찰한다.

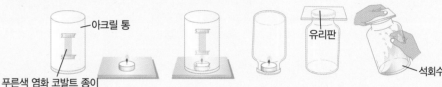

아크릴 통 / 유리판 / 석회수 / 푸른색 염화 코발트 종이

🔬 **탐구 결과 및 결론**

① 아크릴 통으로 촛불을 덮으면 촛불이 꺼지고 연기가 난다.

② 아크릴 통으로 촛불을 덮으면 푸른색 염화 코발트 종이가 ⓐ＿＿＿＿게 변한다.

③ 집기병 속에서 초를 연소시키고 집기병에 석회수를 부으면 석회수가 ⓑ＿＿＿＿게 흐려진다.

④ 초가 연소하면 ⓒ＿＿＿과 ⓓ＿＿＿＿＿가 생긴다.

⑤ 초가 연소하면 초가 물과 이산화 탄소로 변하기 때문에 크기가 ⓔ＿＿＿진다.

2. 초의 연소 생성물

$$초+산소 \rightarrow 물+이산화\ 탄소$$

① **물** : 푸른색 염화 코발트 종이가 붉게 변하는 것으로 알 수 있다.

② **이산화 탄소** : 석회수가 뿌옇게 흐려지는 것으로 알 수 있다.

③ 초의 연소 생성물인 물과 이산화 탄소는 공기 중에 섞여 우리 눈에 보이지 않는다.

④ 초가 연소하면 연소 전의 물질과 다른 새로운 물질이 만들어진다.

⑤ 그을음은 연소 생성물이 아니다. 그을음은 산소가 부족하여 초가 완전히 타지 못할 때 생긴다.

2 불을 끄는 방법

1. 촛불을 끄는 방법

촛불을 끄는 방법	촛불이 꺼지는 이유
촛불을 입으로 분다.	ⓐ _____ 이 날아가기 때문이다.
촛불에 분무기로 물을 뿌린다.	• 온도가 ⓑ _____ 미만으로 내려가기 때문이다. • 심지가 물에 젖어 탈 물질이 공급되지 않기 때문이다.
초의 심지를 핀셋으로 집는다.	심지를 타고 탈 물질이 위로 이동하지 못하기 때문이다.
초의 심지를 자른다.	심지를 타고 탈 물질이 위로 이동하지 못하기 때문이다.
촛불을 집기병으로 덮는다.	ⓒ _____ 가 공급되지 않기 때문이다.
촛불을 물수건으로 덮는다.	• 산소가 공급되지 않기 때문이다. • 온도가 발화점 미만으로 내려가기 때문이다.

2. 소화 : 연소의 조건 중에서 한 가지 이상의 조건을 없애 불을 끄는 것

3. 소화의 조건
① 탈 물질을 제거한다.
② 산소를 차단한다.
③ 발화점 미만으로 온도를 낮춘다.

4. 생활 속에서 불을 끄는 방법과 소화의 조건

소화의 조건	불을 끄는 방법
ⓓ _____ 없애기	• 종이 등 타기 쉬운 물질을 치운다. • 산불이 난 주변의 나무를 벤다. • 가스레인지의 밸브를 잠근다.
ⓔ _____ 공급 막기	• 흙이나 모래를 뿌린다. • 물수건으로 덮는다. • 알코올램프의 뚜껑을 덮는다. • 드라이아이스로 끈다. • 소화기로 끈다.
발화점 미만으로 온도 낮추기	• 물수건으로 덮는다. • 물을 뿌린다.

개념 더하기

● **초의 심지를 집으면 불이 꺼지는 이유**

고체인 초가 액체 상태로 변해 심지를 타고 올라간 뒤, 열에 의해 기체로 변하면 연소가 일어난다. 이때 심지를 집으면 액체 상태의 초가 이동할 수 없기 때문에 탈 물질이 공급되지 못해 더 이상 연소가 일어나지 않는다.

● **알루미늄박으로 감싼 초에 불을 붙였을 때의 변화**

알루미늄박으로 감싸고 심지에 불을 붙이면 촛불이 조금 타다가 꺼져 버린다. 알루미늄박에 의해 열이 차단되어 초가 기체로 변하지 못하여 심지로 탈 물질이 공급되지 않기 때문이다.

용어 풀이

☑ 소화(꺼질 消, 불 火)
불을 끔

정답

ⓐ 이산화탄소 ⓑ 발화점 ⓒ 산소
ⓓ 탈 물질 ⓔ 산소

개념 더하기

● **소방 시설**

· **소화기** : 한 달에 한 번 정도 관리하고 압축가스가 부족하지 않도록 압력계를 점검한다.

· **화재감지기** : 온도가 갑자기 상승하거나 연기가 발생하면 감지기가 작동한다.

· **소화전** : 화재가 발생했을 때 발신기를 눌러 주위 사람들에게 화재를 알리고 소방 호스를 꺼내 화재 장소에 가까이 간 후 밸브를 열고 불을 끈다.

· **스프링클러** : 천장에 설치되어 있으며 화재가 발생했을 때 꼭지를 막고 있는 금속이 녹아 물을 뿜어 내어 불을 끈다.

· **방화문** : 화재가 발생했을 때 불이 다른 곳으로 번지지 않도록 막는다.

용어 풀이

☑ **화재감지기**(불 火, 재앙 災, 느낄 感, 알 知, 기계 機)
불이 난 것을 감지하여 경보음을 울려 위험을 알려 주는 장치

☑ **소화전**(꺼질 消, 불 火, 마개 栓)
화재 발생 시 초기 진화를 위해 설치해 놓은 것으로 건물 내의 복도나 실내 벽면에 설치되어 있다.

 정답

---

3 화재 발생과 예방

1. 화재가 발생했을 때 대처 방법

① 불을 발견하면 "불이야"하고 큰 소리로 외친다.

② 비상벨을 눌러 불이 난 것을 주변에 알린다.

③ 젖은 수건으로 코와 입을 막고 몸을 낮춰 이동한다.

④ 비상구를 통해 몸을 피한다.

⑤ 승강기 대신 ⓐ_____으로 대피한다.

⑥ 안전한 곳에서 119에 신고한다.

⑦ 화재의 초기 단계일 때는 ⓑ_____로 불을 끈다.

⑧ 문손잡이가 뜨거우면 문 반대편에 불이 있을 수 있으므로 함부로 문을 열지 않는다.

2. 화재 피해를 줄이기 위한 노력

① 소화기를 준비하고 정기적으로 점검한다.

② 화재감지기, 옥내 소화전, 스프링클러를 설치한다.

③ 소방 시설의 사용 방법을 알아둔다.

④ 불이 나기 쉬운 곳에는 불에 잘 타지 않는 소재를 이용한다.

⑤ 방화문을 설치한다.

▲ 소화기　　▲ 화재감지기　　▲ 옥내 소화전　　▲ 스프링클러　　▲ 방화문

3. 소화기 사용 방법

① 소화기를 불이 난 곳으로 옮긴다.

② 소화기의 ⓒ_____을 뽑는다.

③ 바람을 ⓓ____고 소화기 고무관이 불 쪽을 향하도록 잡는다.

④ 소화기 손잡이를 움켜쥐고 불을 끈다.

4. 화재 종류별 대처법

① **일반 화재** : 물로 불을 끌 수 있다.

② **기름 화재** : 물을 뿌리면 불꽃이 폭발하거나 불이 더 크게 번질 수 있으므로 소화기를 사용하거나 모래를 덮는다.

③ **전기 화재** : 물을 뿌리면 감전의 위험이 있으므로 소화기를 사용하거나 모래를 덮는다.

5. 화재 대피도

① ⓐ_____ : 화재가 발생했을 때 신속하게 대피할 수 있는 지도

② 현위치, 비상구, 화장실, 소화기나 소화전과 같이 불을 끌 수 있는 시설이나 도구가 있는 곳, 대피 경로를 표시한다.

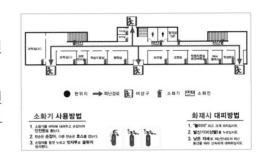

★더 알아보기   간이 소화기

① **만드는 방법** : 페트병에 시트르산 나트륨 용액을 넣고 탄산수소 나트륨을 거즈에 싸서 실로 매단 후 빨대를 꽂는다. 페트병을 기울여 탄산수소 나트륨과 시트르산 용액이 반응하게 한 후 빨대 끝을 불에 가까이하여 끈다.

② **원리** : 탄산수소 나트륨과 시트르산 용액이 반응하면 이산화 탄소가 발생하고, 이산화 탄소가 산소 공급을 막아 불을 끈다.

★생활 속 과학   소화기의 종류와 원리

① **포말(거품) 소화기** : 거꾸로 들고 흔들면 두 종류의 액체가 섞여 이산화 탄소와 수산화 알루미늄 거품이 발생하여 산소 공급을 막아 불을 끈다.

② **분말 소화기** : 탄산수소 나트륨 가루가 압축 가스에 의해 분사되어 불에 닿으면 이산화 탄소가 발생하여 산소 공급을 막아 불을 끈다.

③ **이산화 탄소 소화기** : 압축하여 액체로 만든 이산화 탄소를 사용한다. 이산화 탄소가 산소 공급을 막고 소화액이 나오면서 드라이아이스로 변해 주위 온도를 낮춰 불을 끈다.

▲ 포말 소화기   ▲ 분말 소화기   ▲ 이산화 탄소 소화기

[01~02] 다음은 초가 연소한 후 생기는 물질을 알아보기 위한 실험을 나타낸 것입니다. 물음에 답하세요.

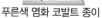
아크릴 통
푸른색 염화 코발트 종이

석회수

01 다음은 초가 연소한 후에 생기는 물질을 알아보기 위한 실험의 결과입니다. 이를 통해 알 수 있는 것으로 알맞은 것은 어느 것입니까? (   )

- 아크릴 통으로 촛불을 덮으면 촛불이 꺼지고 연기가 난다.
- 아크릴 통으로 촛불을 덮으면 푸른색 염화 코발트 종이가 붉게 변하였다.

① 초가 연소하면 물이 생긴다.
② 초가 연소할 때 산소가 필요하다.
③ 초가 연소하면 이산화 탄소가 생긴다.
④ 초가 연소할 때 이산화 탄소가 필요하다.
⑤ 초가 연소할 때 산소가 이산화 탄소로 변한다.

02 초를 연소시킨 집기병에 석회수를 넣고 흔들었더니 석회수가 뿌옇게 흐려졌습니다. 이를 통해 알 수 있는 것으로 알맞은 것은 어느 것입니까? (   )

① 초가 연소하면 산소가 생긴다.
② 초가 연소할 때 물이 필요하다.
③ 초가 연소할 때 산소가 필요하다.
④ 초가 연소하면 이산화 탄소가 생긴다.
⑤ 초가 연소할 때 석회수가 이산화 탄소로 변한다.

03 다음 중 초가 연소한 후 생기는 물질과 확인하는 방법을 바르게 짝지은 것을 <u>모두</u> 고르세요.(,   )

① 물 : 석회수가 뿌옇게 흐려진다.
② 물 : 푸른색 염화 코발트 종이가 붉게 변한다.
③ 산소 : 석회수가 뿌옇게 흐려진다.
④ 이산화 탄소 : 석회수가 뿌옇게 흐려진다.
⑤ 이산화 탄소 : 푸른색 염화 코발트 종이가 붉게 변한다.

04 다음과 같이 초의 심지를 핀셋으로 집으면 촛불이 꺼지는 이유로 옳은 것은 어느 것입니까? (   )

① 산소가 차단되기 때문에
② 이산화 탄소가 차단되기 때문에
③ 탈 물질이 공급되지 않기 때문에
④ 초가 고체에서 기체로 변하기 때문에
⑤ 발화점 미만으로 온도가 낮아지기 때문에

05 다음 중 산소를 차단하여 알코올램프의 불을 끄는 방법으로 알맞은 것은 어느 것입니까? (   )

① 뚜껑을 덮는다.
② 알코올을 없앤다.
③ 알코올을 더 넣는다.
④ 손으로 바람을 일으킨다.
⑤ 핀셋으로 심지를 잡는다.

06 다음 중 불을 끄는 방법과 소화의 조건이 바르게 짝 지어지지 <u>않은</u> 것은 어느 것입니까? ( )

① 소화기로 불을 끈다. – 산소 차단
② 물을 뿌린다. – 발화점 미만의 온도
③ 초의 심지를 자른다. – 발화점 미만의 온도
④ 가스레인지의 밸브를 잠근다. – 탈 물질 제거
⑤ 산불이 난 주변의 나무를 벤다. – 탈 물질 제거

07 다음 중 화재가 발생했을 때 대처 방법으로 바르지 <u>않은</u> 것은 어느 것입니까? ( )

① 안전한 곳에서 119에 신고한다.
② 계단 대신 승강기로 대피한다.
③ 불이 난 것을 주변에 알린다.
④ 문손잡이를 맨손으로 잡지 않는다.
⑤ 화재의 초기 단계일 때는 소화기를 이용하여 불을 끈다.

08 다음 중 화재로 유독 가스가 생겼을 때 대처하는 방법으로 가장 옳은 것은 어느 것입니까? ( )

① 숨을 참고 계단으로 이동한다.
② 숨을 참고 자세를 낮추어 이동한다.
③ 코를 막지 않고 자세를 낮추어 이동한다.
④ 젖은 수건으로 코를 막고 자세를 낮추어 이동한다.
⑤ 젖은 수건으로 코를 막고 자세를 높여서 이동한다.

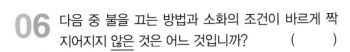

09 다음 중 우리 주변에서 화재 피해를 줄이기 위한 노력으로 옳지 <u>않은</u> 것은 어느 것입니까? ( )

① 소방 시설의 사용 방법을 알아둔다.
② 불에 잘 타지 않는 소재를 사용한다.
③ 소화기를 준비하고 정기적으로 점검한다.
④ 화재감지기, 옥내 소화전, 스프링클러를 설치한다.
⑤ 평소에 사용하지 않은 비상구 공간에는 물건을 쌓아 놓는다.

10 다음 중 소화기 사용법을 알맞은 순서대로 나열한 것은 어느 것입니까? ( )

> 보기
>
> ㉠ 소화기의 안전핀을 뽑는다.
> ㉡ 바람을 등지고 소화기 고무관이 불 쪽으로 향하도록 잡는다.
> ㉢ 소화기를 불이 난 곳으로 옮긴다.
> ㉣ 소화기 손잡이를 움켜쥐고 불을 끈다.

① ㉠ → ㉡ → ㉢ → ㉣
② ㉠ → ㉢ → ㉡ → ㉣
③ ㉡ → ㉠ → ㉢ → ㉣
④ ㉢ → ㉠ → ㉡ → ㉣
⑤ ㉢ → ㉠ → ㉣ → ㉡

11 다음 중 소화기로 불을 끄는 원리를 <u>모두</u> 고르세요. (,)

① 화재가 난 곳에 산소를 공급한다.
② 화재가 난 곳에 수증기를 공급한다.
③ 화재가 난 곳의 탈 물질을 제거한다.
④ 화재가 난 곳에 산소의 공급을 막는다.
⑤ 화재가 난 곳의 온도를 발화점 미만으로 낮춘다.

서술형으로 다지기

01 다음은 초에 불을 붙이기 전 초의 무게와 촛불을 끈 후 초의 무게를 나타낸 것입니다. 초가 연소한 후에 무게가 줄어드는 이유를 적어보세요.

촛불을 붙이기 전(g)	촛불을 끈 후(g)
81.6	80.5

손에 잡히는 문제 해결

초에 불을 붙이면 어떤 현상을
관찰할 수 있나요?

▼

초가 연소한 후에는
무엇이 생기나요?

▼

초가 연소한 후에 생기는
물질은 어떻게 되나요?

02 다음은 소화의 조건 세 가지를 나타낸 것입니다. 각 조건을 이용하여 촛불을 끌 수 있는 방법을 한 가지씩 각각 적어보세요.

탈 물질 제거	
산소 차단	
발화점 미만의 온도	

손에 잡히는 문제 해결

초가 탈 때 탈 물질은
어떻게 공급되나요?

▼

촛불의 산소를 차단하는
방법은 무엇인가요?

▼

촛불의 온도를 낮추려면
무엇이 필요한가요?

03 다음은 어느 학교의 교실에 붙어 있는 화재 발생 시 대처 요령에 대한 안내문입니다. 안내문의 빈칸에 들어갈 알맞은 대처 요령을 <u>두 가지</u> 적어보세요.

〈화재 발생 시 대처 요령〉

화재가 발생하면 이렇게 행동해야 합니다!

첫째, 불을 발견하면 큰 소리로 "불이야"라고 소리칩니다.

둘째, 비상벨을 눌러 불이 난 것을 주변에 알립니다.

셋째, _____

넷째, _____

다섯째, 승강기 대신 계단으로 대피합니다.

손에 잡히는 문제 해결

화재 발생 시 가장 먼저 해야 할
행동은 무엇인가요?

▼

화재 발생 시 하지 말아야 할
행동은 무엇인가요?

▼

화재 발생 시 이동할 때
주의할 점은 무엇인가요?

04 소화기를 사용하여 불을 끌 때는 바람을 등지고 소화기 고무관을 불 쪽으로 향한 후 소화기 손잡이를 움켜쥐고 불을 꺼야 합니다. 이때, 바람을 등지고 서야 하는 이유를 적어보세요.

손에 잡히는 문제 해결

소화기가 불을 끄는
원리는 무엇인가요?

▼

안전핀을 뺀 소화기의 손잡이를
누르면 어떻게 되나요?

▼

소화기를 분사할 때 바람은
어떤 영향을 주나요?

융합사고력 키우기

STEAM ✦

- ✓ **Science**
  ▶ 스모그
- ☐ **Technology**
- ✓ **Engineering**
  ▶ 사이크론 필터
- ☐ **Art**
- ☐ **Mathematics**

중국에서 넘어오는 스모그

중국 하늘을 뒤덮은 스모그는 산업화에 매달리느라 대기환경을 소홀히 했던 우리나라의 옛 시절을 떠올리게 한다. 우리도 연탄을 때고 유연휘발유를 쓰던 시절에 베이징 못지않은 스모그에 시달렸다. 우리나라 공기가 깨끗해진 것은 연료를 도시가스로 바꾸고 정유회사들이 탈황시설에 많은 투자를 한 결과다. 중국이 '세계의 공장'으로 막대한 돈을 벌어들이고 있지만, 그 대가로 공기의 질과 국민건강을 희생하고 있다.

베이징의 스모그는 서쪽에서 동쪽으로 부는 편서풍으로 인해 서해 상공을 지나 한반도까지 넘어온다. 미세먼지(PM10)는 일반먼지와는 달리 기도를 거쳐 폐로 잘 들어간다. 특히 중국에서 날아온 미세먼지에는 납과 카드뮴 등 중금속도 포함돼 있어 문제가 심각하다. 스모그를 줄이려면 원인을 정확히 알아야 하는데 중국 정부는 스모그와 중금속의 농도에 대한 자료를 공개하지 않고 있다.

환경오염은 경제개발 단계에서 어쩔 수 없는 측면이 있다. 그러나 환경을 개선하지 않고는 지속가능한 발전을 기대할 수 없다는 사실을 중국도 인식할 때가 되었다. 중국은 자국민을 위해서라도 관련 법규를 마련하고 시설 투자를 통해 스모그를 줄여야 한다. 또한, 오염물질이 국경을 넘어가 이웃 국가에 피해를 줄 때는 오염자료를 공유해 피해를 줄이도록 도와야 한다.

1 중국에서 날아온 미세먼지가 일반먼지보다 피해가 큰 이유는 무엇인가요?

용어 풀이

☑ **유연(있을 有, 납 鉛)**
납이 들어간 휘발유로 인체와 환경에 나쁜 영향을 끼친다.

☑ **탈황(잃을 脫, 누를 黃)**
황이 포함된 연료가 연소되면서 발생한 황산화물을 제거하는 과정

☑ **정유(깨끗할 精, 기름 油)**
원유를 휘발유, 중유, 경유 등으로 만드는 것

☑ **중금속(무거울 重, 쇠 金, 무리 屬)**
비중이 5 이상인 무거운 금속

☑ **미세(작을 微, 작을 細) 먼지**
지름이 10 ㎛(마이크로미터) 이하인 먼지

☑ **자국민(스스로 自, 나라 國, 백성 民)**
자기 나라 사람

☑ **불완전 연소(아닐 不, 완전할 完, 완전할 全, 탈 燃, 탈 燒)**
산소가 충분히 공급되지 않은 상태에서 물질이 타는 현상

2 연료로 석탄을 사용하는 것보다 도시가스(메테인, LNG)를 사용할 때 공기가 깨끗한 이유를 적어보세요.

 손에 잡히는 STEAM

석탄을 태우면 어떻게 되나요?

▼

도시가스를 태우면 어떻게 되나요?

▼

도시가스를 연료로 사용할 때,
공기가 더 깨끗해지는 이유는
무엇일까요?

3 불완전 연소로 인한 자동차의 매연도 스모그의 주범입니다. 자동차의 엔진 속에서 연료가 불완전 연소하는 이유는 필터에 공기가 잘 통하지 않고 필터를 통과한 공기도 엔진으로 느리게 공급되어 연료와 혼합이 잘 되지 않기 때문입니다. 이를 해결하기 위한 방법으로 '사이크론 필터'가 개발되었습니다. 사이크론 필터가 어떤 원리로 불완전 연소를 줄일 수 있는지 적어보세요.

사이크론 필터

손에 잡히는 STEAM

자동차에서 불완전 연소가 일어나는
이유는 무엇인가요?

▼

일반필터와 사이크론 필터의
차이점은 무엇인가요?

▼

사이크론 필터는
어떻게 불완전 연소를 줄이나요?

탐구력 키우기

마술 놀이

마술은 신기해 보이지만 자세히 살펴보면 수많은 과학 지식이 모여 있는 것이라고 할 수 있습니다. 간단한 마술 두 가지를 직접 해보면서 원리를 알아보세요.

준비물

작은 손수건 또는 종잇조각, 그릇, 물, 알코올, 알루미늄박, 나무젓가락, 종이, 우유, 초, 라이터

탐구 과정

마술 1
① 그릇에 알코올과 물을 1 : 1의 비율로 섞는다.
② 그릇에 작은 손수건을 넣고 알코올과 물을 섞은 액체를 적신다.
③ 알루미늄박 위에 손수건을 놓는다.
④ 나무젓가락에 불을 붙인 후 나무젓가락을 손수건에 가까이해서 불을 붙인다.

마술 2
① 종이에 우유로 편지를 쓰고 우유가 마를 때까지 기다린다.
② 비밀 편지를 촛불 위에서 상하좌우로 움직이면서 종이 전체를 서서히 가열한다.

주의사항

- 마술 1 에서 손수건 대신 종잇조각을 사용해도 된다.
- 화재의 위험이 있으므로 반드시 알루미늄박 위에서 실험한다.
- 주위에 탈 수 있는 물체를 모두 치운 후 손수건에 불을 붙인다.
- 비밀 편지에 불이 붙지 않도록 촛불에서 멀리 떨어져서 가열한다.

1 두 가지 마술의 결과를 각각 적어보세요.

> 마술 1

> 마술 2

2 두 가지 마술이 가능한 이유를 각각 과학적으로 적어보세요.

> 마술 1

> 마술 2

3 양초에 불을 붙인 후 철망을 불꽃 사이에 넣어보면 (가)와 같이 촛불이 철망 위로 올라오지 못합니다. 또한 라이터의 누름판을 눌러 가스만 흘러나오게 한 후 철망 위쪽에 불을 붙이면 (나)와 같이 철망 아래로 불꽃이 내려오지 않습니다. (가)와 (나)의 이유를 각각 서술하세요.

실험 동영상

(가)

(나)

STEAM

4 2014년 11월 펜션 바비큐장에서 화재가 발생하여 4명이 사망하는 사고가 발생했다. 고기를 굽다가 숯불에 불이 붙어 불을 끄려고 물을 부었는데 그 순간 큰 화재로 돌변했기 때문이다. 불을 끄려고 숯불에 물을 뿌린 행동이 오히려 화재의 원인이 된 이유와 숯불에 붙은 불을 끌 수 있는 안전한 방법을 적어보세요.

기름 화재

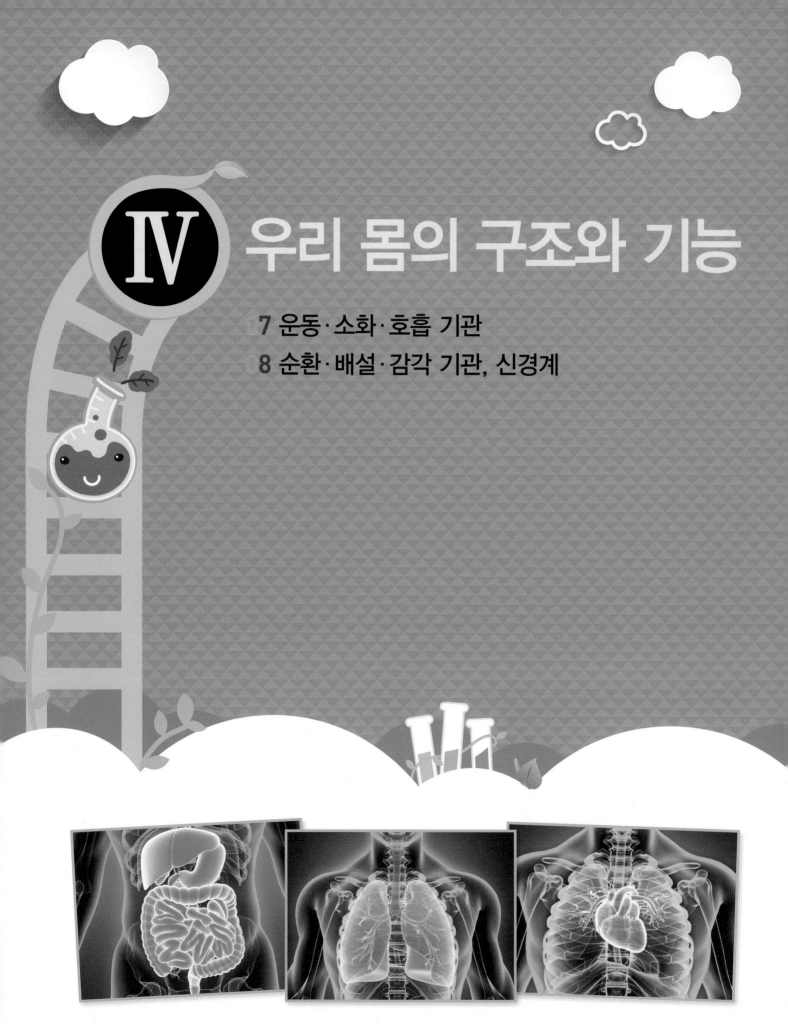

Ⅳ 우리 몸의 구조와 기능

이 단원의 주요 내용

우리 몸을 구성하는 운동 기관, 소화 기관,
순환 기관, 호흡 기관, 배설 기관, 감각 기관,
신경계의 역할과 각 기관이 유기적으로
연계되어 통합적으로 기능하고
있음을 이해한다.

⭐ 2015 개정 교육과정 교과서

　초등 5～6학년 군 :
　　6학년 2학기 4단원 우리 몸의 구조와 기능

⭐ 다른 학년과의 연계

　중학교 1～3학년 군 : 자극과 반응

뼈와 근육, 위, 폐로 이루어진

07 운동·소화·호흡 기관

개념 더하기

● **뼈를 볼 수 있는 방법**

X선 사진을 통해 뼈의 모습을 볼 수 있다.

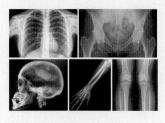

● **다양한 얼굴 표정과 근육**

얼굴의 왼쪽과 오른쪽에 각각 22개씩 모두 44개의 얼굴 근육이 얼굴 피부 바로 밑에 거미줄처럼 복잡하게 얽혀 있어 다양하고 섬세한 표정을 만든다.

용어 풀이

☑ **기관**(도구 器, 일 官)
일정한 형태를 이루고 특정한 기능을 하는 단계

☑ **근육**(힘줄 筋, 살 肉)
동물의 운동을 맡고 있는 부분

 정답

ⓓ 늘근

ⓐ 기관 ⓑ 줄어 ⓒ 뼈

1 인체 모형 만들기

1. 인체 모형

① ⓐ _____ : 우리가 살아가기 위해 숨을 쉬고, 음식물을 먹고 움직이는 등의 다양한 일을 하는 몸속 부분

② 몸에는 많은 뼈가 있고, 뼈의 모양은 각각 다르다.

③ 우리 몸이 움직이는 것처럼 인체 모형에서 똑딱단추로 연결한 곳이 움직인다. ➡ 똑딱단추는 관절(뼈마디) 역할이다.

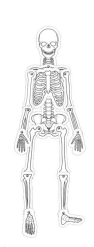

2 운동 기관

1. 운동 기관

① 운동 기관 : 우리 몸속 기관 중에서 움직임에 관여하는 기관 예 뼈, 근육

2. 뼈와 근육 모형

★탐구   뼈와 근육 모형

🔹 **탐구 과정**

① 두 개의 굵은 빨대 끝부분을 할핀으로 연결한다.

② 비닐봉지를 25 cm 길이로 자른 후 막힌 쪽을 셀로판테이프로 감고, 벌어진 쪽은 주름 빨대를 넣어 셀로판테이프로 감는다.

③ 빨대 ⓛ의 끝부분과 주름 빨대를 감은 비닐봉지 끝부분을 맞춘 후 공기가 새지 않도록 비닐봉지의 양쪽 끝을 셀로판테이프로 감아 굵은 빨대에 고정한다.

④ 주름 빨대를 짧게 자르고 손 그림을 빨대 ㉠에 붙인다.

⑤ 뼈와 근육 모형에 바람을 불어 넣기 전과 불어 넣은 후의 변화를 관찰한다.

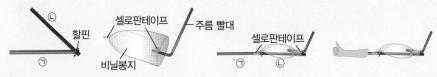

🔹 **탐구 결과 및 결론**

① 비닐봉지에 바람을 불어 넣으면 비닐봉지가 부풀어 오르면서 길이가 ⓑ _____ 들어, 굵은 빨대가 구부러지며 팔이 구부러진다.

② 굵은 빨대는 ⓒ _____ 역할을 하고, 비닐봉지는 ⓓ _____ 역할을 한다.

③ 우리 몸은 뼈에 연결된 근육의 길이가 늘어나거나 줄어들면서 뼈를 움직이게 한다.

① 뼈와 근육 모형과 실제 우리 몸 비교

뼈와 근육 모형	실제 우리 몸
• 굵은 빨대는 모형의 형태를 만든다. • 비닐봉지에 바람을 넣거나 빼면 길이가 변한다. • 바람을 불어 넣거나 빼면 움직인다.	• 뼈는 몸의 형태를 만든다. • 근육은 늘어나거나 줄어든다. • 에너지에 의해 움직인다.

3. 팔을 굽혔을 때와 폈을 때 근육의 굵기와 움직임

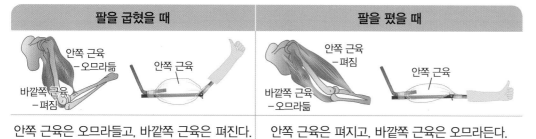

팔을 굽혔을 때	팔을 폈을 때
안쪽 근육은 오므라들고, 바깥쪽 근육은 펴진다.	안쪽 근육은 펴지고, 바깥쪽 근육은 오므라든다.

4. 뼈의 종류와 생김새

종류	생김새	역할
머리뼈	바가지 모양으로 둥글다.	ⓐ_____ 를 보호한다.
척추뼈	짧은뼈가 이어져 기둥을 이룬다.	우리 몸을 ⓑ_____하고, 중추 신경계를 보호한다.
ⓒ~~~~~뼈	휘어진 여러 개의 뼈가 좌우로 둥글게 연결되어 공간을 만든다.	심장과 폐를 보호한다.
팔뼈, 다리뼈	길고, 아래쪽 뼈는 긴뼈 두 개로 이루어져 있다.	우리 몸을 움직일 수 있게 한다.
손가락뼈, 발가락뼈	작은 뼈가 여러 개 모여 있다.	자유롭게 구부리거나 펼 수 있게 한다.

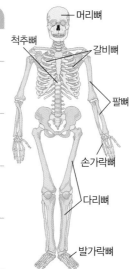

머리뼈
척추뼈
갈비뼈
팔뼈
손가락뼈
다리뼈
발가락뼈

5. 운동 기관이 하는 일

① 뼈 : 몸의 형태를 만들고, 몸을 ⓓ_____하며, 심장, 폐, 뇌 등 내부를 ⓔ_____한다.

② 근육 : 뼈에 연결되어 있고 길이가 늘어나거나 줄어들면서 뼈를 움직여 몸을 ⓕ_____일 수 있게 한다.

개념 더하기

● 비닐봉지와 근육 비교
• 비닐봉지는 팔 안쪽 근육에 해당한다.
• 실제 팔의 움직임은 팔 안쪽 근육과 바깥쪽 근육의 서로 반대되는 수축 이완 작용으로 일어난다.

● 뼈
• 신생아 때 뼈의 개수는 약 450개 정도이지만, 성장 과정에서 합쳐져 206개가 된다.
• 사람의 뼈는 같은 무게의 철근 기둥보다 단단하다. 우리 몸에서 튼튼해야 하는 곳은 뼈가 굵고, 구부려져야 하는 곳은 뼈의 개수가 많다.
• 뼈는 유기물(섬유 결합 단백질인 콜라겐) 35 %, 무기물(칼슘, 인산, 탄산염 무기질) 45 %, 물 20 %로 구성되어 있다. 인체 내 칼슘의 99 %, 인의 90 %가 뼛속에 있다.

용어 풀이

☑ 척추(등마루 脊, 등골 椎)
목, 등, 허리, 엉덩이, 꼬리 부분까지 이어진 뼈

☑ 중추 신경계(가운데 中, 근원 樞, 정신 神, 지날 經, 묶을 系)
자극에 대한 반응을 결정하는 곳으로 뇌와 척수가 해당된다.

정답

ⓐ 뇌 ⓑ 지지 ⓒ 갈비
ⓓ 지지 ⓔ 보호 ⓕ 움직

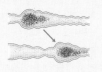

07 운동·소화·호흡 기관

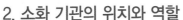

개념 더하기

● **우리가 음식물을 먹는 이유**
- 우리는 음식물에서 활동하고 성장하고 생명을 유지하는 데 필요한 영양소를 얻는다.
- 음식물은 위나 장에서 분해되고 분해된 영양소는 작은창자에서 흡수된 후, 혈액이 온몸으로 실어 나른다.

● **식도의 꿈틀 운동**
식도는 근육으로 이루어져 있으며, 꿈틀 운동으로 음식을 위로 이동시켜주므로 물구나무서기를 해도 음식을 먹을 수 있다.

● **음식물을 잘 씹어야 하는 이유**
음식물이 잘게 부서져야 소화가 잘 되고 우리 몸에 흡수가 잘 되기 때문이다.

용어 풀이

☑ **소화(사라질 消, 될 化)**
섭취한 음식물을 흡수하기 쉬운 형태로 분해하는 일

☑ **분해(나눌 分, 풀 解)**
여러 부분이 결합되어 이루어진 것을 낱낱의 부분으로 나눔

정답

ⓐ 소화 ⓑ 저장 ⓒ 분해
ⓓ 흡수 ⓔ 수분 ⓕ 식도
ⓖ 위 ⓗ 작은 ⓘ 큰

---

3 소화 기관

1. 소화와 소화 기관

① ⓐ_____ : 우리가 먹은 음식물을 잘게 쪼개 몸에 흡수될 수 있는 형태로 분해하는 과정
② 소화 기관 : 음식물의 소화에 관여하는 기관
  예 입, 식도, 위, 작은창자, 큰창자, 항문
③ 소화를 도와주는 기관 : 간, 쓸개, 이자
  • 간 : 소화를 돕는 쓸개즙을 만들고 영양소를 저장하며, 해독 작용과 살균 작용을 한다.
  • 쓸개 : 쓸개즙을 저장하였다가 작은창자로 분비한다.
  • 이자 : 소화를 돕는 여러 가지 소화 효소와 호르몬을 만든다.

2. 소화 기관의 위치와 역할

구분	위치와 생김새	역할
입	• 음식물이 몸속으로 들어가는 곳이다.	• 음식물을 이로 잘게 부수고 혀로 섞은 후 침으로 물러지게 하여 삼킬 수 있게 한다.
식도	• 긴 관 모양이다. • 입과 위를 연결한다.	• 입에서 삼킨 음식물을 위로 이동시킨다.
위	• 작은 주머니 모양이다. • 식도와 작은창자를 연결한다.	• 소화를 돕는 액체를 분비한다. • 음식물을 섞고 ⓑ_____한다.
작은창자	• 배의 가운데에 있다. • 꼬불꼬불한 관 모양이다. • 위와 큰창자를 연결한다.	• 음식물을 매우 작은 영양소로 ⓒ_____한다. • 분해된 영양소를 ⓓ_____한다.
큰창자	• 굵은 관 모양이다. • 작은창자를 감싸고 있다.	• 음식 찌꺼기의 ⓔ_____을 흡수하여 항문을 통하여 배출되는 찌꺼기의 부피를 줄인다.
항문	• 큰창자와 연결되어 있다.	• 소화되지 않은 음식 찌꺼기를 몸 밖으로 배출한다.

3. 소화 과정 : 입 → ⓕ_____ → ⓖ____ → ⓗ____창자 → ⓘ____창자 → 항문

4. 소화 기관이 하는 일

① 음식물을 우리 몸에 흡수될 수 있도록 잘게 분해한다.
② 영양소와 수분을 흡수한다.

4 호흡 기관

1. 호흡과 호흡 기관

① ⓐ_____ : 숨을 들이마시고 내쉬는 활동

② 호흡 기관 : 호흡에 관여하는 기관 **예** 코, 기관, 기관지, 폐

2. 호흡 기관의 위치와 역할

구분	위치와 생김새	역할
코	• 몸 밖에 있다.	• 공기가 드나드는 곳이다.
ⓑ_____	• 굵은 관 모양이다. • 코에 연결되어 있다.	• 공기가 이동하는 통로이다.
기관지	• 나뭇가지처럼 생겼다. • 기관과 폐를 연결한다.	• 공기가 이동하는 통로이다.
ⓒ_____	• 가슴 부분에 위치한다. • 기관지와 연결되어 있다. • 갈비뼈로 둘러싸여 있다.	• 몸 밖에서 들어온 산소를 받아들이고, 돌고 온 이산화 탄소를 몸 밖으로 내보낸다.

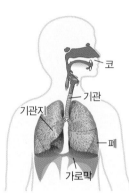

3. 호흡 기관이 하는 일

① 숨을 들이마실 때 : 코로 들어온 공기는 기관 → 기관지 → 폐를 거쳐 우리 몸에 필요한 ⓓ_____를 받아들인다.

② 숨을 내쉴 때 : 온몸을 돌고 폐로 들어온 혈액에 많은 ⓔ_____를 기관지 → 기관 → 코를 거쳐 몸 밖으로 내보낸다.

③ 폐로 이동한 산소 : 혈관 속 혈액을 통해 온몸으로 전달된다.

★더 알아보기   숨을 들이마실 때와 내쉴 때의 변화

구분	숨을 들이마실 때	숨을 내쉴 때
우리 몸의 변화	어깨가 올라가고 가슴과 배가 나온다.	어깨가 내려가고, 가슴이 원위치로 돌아가며 배가 들어간다.
호흡기 모형	고무막을 아래로 잡아당긴다. ➡ 풍선이 커진다.	아래로 당겼던 고무막을 놓아 제자리로 가게 한다. ➡ 풍선이 다시 작아진다.
공기 이동	코 → 기관 → 기관지 → 폐	폐 → 기관지 → 기관 → 코

개념 더하기

● **호흡 운동**

폐는 근육이 없어서 스스로 움직일 수 없다. 갈비뼈 사이 근육과 가로막에 의해 부피가 팽창되었다가 줄어들면서 호흡 운동을 한다.

 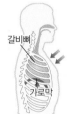

▲ 숨을 들이마실 때   ▲ 숨을 내쉴 때

● **숨을 들이마실 때 공기가 폐 속으로 들어오는 이유**

갈비뼈가 위로 올라가고 가로막이 아래로 내려가면, 가슴 안쪽의 공간이 넓어지므로 압력이 대기압보다 낮아진다. 공기는 압력이 높은 곳에서 낮은 곳으로 이동하므로 압력이 높은 대기의 공기가 압력이 낮은 폐로 이동한다.

용어 풀이

☑ **폐(허파 肺)**
동물 몸 안에 있는 숨을 쉴 수 있게 하는 기관

☑ **숨**
사람이나 동물이 살기 위해 코나 입을 통해 공기를 들이마시고 내쉬는 일

정답

ⓐ 호흡 ⓑ 기관 ⓒ 폐
ⓓ 산소 ⓔ 이산화 탄소

01 다음 중 인체 모형을 만들 때 몸의 각 부분을 똑딱단 추로 연결하는 이유로 알맞은 것은 어느 것입니까?
( )

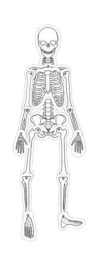

① 단단하기 때문이다.
② 끼우기 쉽기 때문이다.
③ 모양이 보기 좋기 때문이다.
④ 연결 부분을 움직일 수 있기 때문이다.
⑤ 모형을 오랫동안 사용할 수 있기 때문이다.

신유형

02 다음과 같이 빨대와 비닐봉지를 이용하여 뼈와 근육 모형을 만들었습니다. 모형에 대한 설명으로 옳지 <u>않</u>은 것은 어느 것입니까? ( )

① 비닐봉지는 팔 바깥쪽 근육에 해당한다.
② 바람을 불어 넣으면 비닐봉지가 부풀어 오른다.
③ 비닐봉지가 부풀면 굵은 빨대가 구부러진다.
④ 굵은 빨대는 우리 몸의 뼈와 같은 역할을 한다.
⑤ 비닐봉지는 우리 몸의 근육과 같은 역할을 한다.

03 다음 중 머리뼈의 역할로 알맞은 것은 어느 것입니까? ( )

① 폐를 보호한다.
② 뇌를 보호한다.
③ 심장을 보호한다.
④ 우리 몸을 지지한다.
⑤ 우리 몸을 움직이게 한다.

04 다음 설명에 알맞은 뼈는 어느 것입니까? ( )

• 짧은뼈가 이어져 기둥을 이룬다.
• 몸을 지지하고, 중추 신경계를 보호한다.

① 머리뼈   ② 척추뼈   ③ 갈비뼈
④ 팔뼈   ⑤ 손가락뼈

중요

05 다음 중 운동 기관이 하는 일로 옳지 <u>않은</u> 것은 어느 것입니까? ( )

① 몸을 지탱한다.
② 몸의 형태를 만든다.
③ 몸을 움직이게 한다.
④ 숨을 들이마시고 내쉰다.
⑤ 심장, 폐, 뇌 등 내부를 보호한다.

06 다음 중 음식물을 잘게 쪼개어 우리 몸에 흡수될 수 있는 영양소의 형태로 분해하는 과정을 무엇이라고 합니까?　　　　　　　　　　　(　　　)

① 반응　　　　② 근육　　　　③ 소화
④ 순환　　　　⑤ 자극

07 다음 중 음식물을 매우 작은 영양소로 분해하고 분해된 영양소를 흡수하는 기관은 어느 것입니까?
　　　　　　　　　　　(　　　)

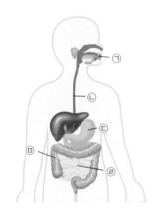

①　㉠　　　　②　㉡　　　　③　㉢
④　㉣　　　　⑤　㉤

08 다음 중 몸속으로 들어간 음식물이 몸 밖으로 나오기까지의 과정을 바르게 나타낸 것은 어느 것입니까?
　　　　　　　　　　　(　　　)

① 입 → 식도 → 작은창자 → 위 → 큰창차 → 항문
② 입 → 식도 → 위 → 작은창자 → 큰창차 → 항문
③ 식도 → 큰창차 → 위 → 입 → 작은창차 → 항문
④ 위 → 입 → 작은창차 → 큰창차 → 식도 → 항문
⑤ 항문 → 큰창자 → 작은창자 → 위 → 식도 → 입

09 다음 중 숨을 들이마시고 내쉬는 활동을 무엇이라고 합니까?　　　　　　　　　　　(　　　)

① 소화　　　　② 순환　　　　③ 호흡
④ 배설　　　　⑤ 반응

10 다음 그림에 대한 설명으로 옳지 <u>않은</u> 것은 어느 것입니까?　　　　　　　　　　　(　　　)

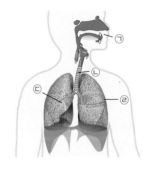

① ㉠을 통해 공기가 드나든다.
② ㉡은 굵은 관 모양으로 공기가 이동하는 통로이다.
③ ㉢은 나뭇가지처럼 여러 개의 작은 관으로 갈라져 있다.
④ ㉣은 갈비뼈로 둘러싸여 있다.
⑤ ㉠~㉣과 같은 기관을 소화 기관이라고 한다.

신유형
11 다음 중 호흡 기관에 대한 설명으로 옳은 것을 <u>모두</u> 고르세요.　　　　　　　　　(　　 ,　　)

① 숨을 들이마실 때 공기는 폐 → 기관지 → 기관 → 코로 이동한다.
② 숨을 내쉴 때 공기는 코 → 기관 → 기관지 → 폐로 이동한다.
③ 숨을 들이마실 때 폐는 우리 몸에 필요한 산소를 받아들인다.
④ 숨을 내쉴 때 폐는 이산화 탄소를 혈액으로 내보낸다.
⑤ 폐로 이동한 산소는 혈관 속 혈액을 통해 온몸으로 전달된다.

서술형으로 다지기

01

손에 잡히는 문제 해결

빨대의 역할은 무엇인가요?

▼

비닐봉지의 역할은 무엇인가요?

▼

뼈와 근육 모형을 구부러지게
하려면 어떻게 해야 하나요?

01 다음은 빨대와 비닐봉지를 이용해 만든 뼈와 근육 모형을 우리 몸과 비교한 표입니다. 빈칸에 알맞은 말을 적어보세요.

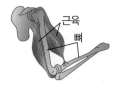

구분	뼈와 근육 모형	우리 몸
구조	빨대	
	비닐봉지	
움직이는 원리		에너지에 의해 팔 안쪽 근육이 오므라든다.
움직이는 모습	굵은 빨대가 구부러진다.	팔이 구부러진다.

손에 잡히는 문제 해결

팔을 굽혔을 때
안쪽 근육은 어떻게 되나요?

▼

팔을 굽혔을 때
바깥쪽 근육은 어떻게 되나요?

▼

우리 몸을 움직일 때
어떤 기관들이 작용하나요?

02 다음은 팔을 굽혔을 때와 폈을 때 근육의 변화를 나타낸 것입니다. (가)와 (나) 중 팔을 굽혔을 때 근육의 움직임을 고르고, 우리 몸이 움직일 수 있는 원리를 적어보세요.

구분	(가)	(나)
안쪽 근육	오므라듦	펴짐
바깥쪽 근육	펴짐	오므라듦

(1) 팔을 굽혔을 때 근육의 움직임 :

(2) 우리 몸이 움직일 수 있는 원리 :

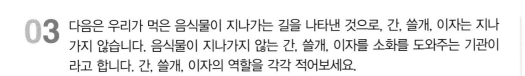

03 다음은 우리가 먹은 음식물이 지나가는 길을 나타낸 것으로, 간, 쓸개, 이자는 지나가지 않습니다. 음식물이 지나가지 않는 간, 쓸개, 이자를 소화를 도와주는 기관이라고 합니다. 간, 쓸개, 이자의 역할을 각각 적어보세요.

> 입 → 식도 → 위 → 작은창자 → 큰창자 → 항문

(1) 간 :

(2) 쓸개 :

(3) 이자 :

🔍 손에 잡히는 문제 해결

소화란 무엇인가요?
▼
소화 기관이란 무엇인가요?
▼
소화를 도와주는 물질은
어떤 것들이 있나요?

04 다음은 호흡할 때 호흡 기관의 변화를 알아볼 수 있는 호흡기 모형입니다. 호흡기 모형의 고무막을 아래로 잡아당길 때 나타나는 변화를 그리고 이유를 공기의 이동과 관련지어 적어보세요.

유리관
고무풍선
고무막

🔍 손에 잡히는 문제 해결

호흡기 모형의 각 부분은
우리 몸의 어떤 기관의 역할을 하나요?
▼
고무막을 잡아당기면 호흡기 모형의
안쪽 부피는 어떻게 변하나요?
▼
호흡기 모형의 내부 부피는
공기의 이동과 어떤 관계가 있나요?

융합사고력 키우기

STEAM

☑ **Science**
　▶ 운동 기관

☐ **Technology**

☑ **Engineering**
　▶ 스마트폰

☐ **Art**

☐ **Mathematics**

용어 풀이

☑ **재앙(죄악 災, 벌 殃)**
뜻하지 않게 생긴 사고

☑ **과도(지나칠 過, 정도 度)**
정도가 지나침

☑ **관절(관계할 關, 마디 節)**
뼈와 뼈가 연결되는 부위

☑ **인대(질길 靭, 띠 帶)**
뼈와 뼈를 연결해주는 질긴 결합 조직

☑ **증후군(증상 症, 증상 候, 무리 群)**
병적인 증상들을 통틀어 이르는 말

☑ **난청(어려울 難, 들을 聽)**
소리를 들을 수 없음

스마트폰 사용으로 인한 질환

이제 스마트폰은 현대인의 삶에서 떼어놓을 수 없는 필수 도구가 되었다. 거리를 걸을 때도 스마트폰에서 눈을 떼지 못하는 사람들을 쉽게 볼 수 있다. 오랜 시간 동안 스마트폰을 사용하면서 각종 질환을 앓는 사람들이 늘어나고 있으며, '스마트폰의 재앙'이라 부를 만큼 심각한 질환도 많아지고 있다.

스마트폰

스마트폰은 터치스크린이나 터치펜을 통해 데이터를 입력한다. 따라서 오랜 시간 동안 이용하면 손목이나 손가락 관절(뼈마디)이 스트레스를 받는다. 이러한 원인으로 인한 대표적인 질환이 손목터널증후군이다. 손목터널증후군은 손목이나 손가락의 과도한 사용으로 팔에서 손으로 가는 신경이 손목 인대에 눌려 손이 저리거나 감각이 둔해지는 질환이다. 심한 경우 통증이 목과 어깨까지 이어지고, 물건을 잡다가 떨어뜨리는 일도 발생한다.

스마트폰 사용으로 인한 또 다른 질환으로는 거북목증후군(일자목 증후군)이 있다. 대부분 사람은 스마트폰을 사용할 때 고개를 숙이고 목을 앞으로 내민다. 무거운 머리가 중심을 벗어나면 머리를 지탱하기 위해 근육이 긴장한다. 이런 현상이 오랫동안 이어지면 목뼈의 위치가 정상적인 C자 형태의 곡선을 유지하지 못하고 일자 형태가 되어 목뼈의 기능을 제대로 하지 못한다. 목이 앞으로 나오면 어깨와 척추도 자연스레 구부정하게 변해 키도 작아 보인다.

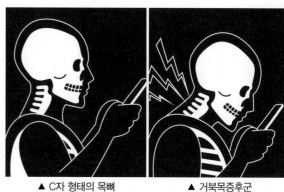

▲ C자 형태의 목뼈　　　　▲ 거북목증후군

1 오랜 시간 동안 스마트폰을 사용함으로 발생하는 질환은 무엇인가요?

●　　　　　　　　　　　　　　　　　　　　●

2 잦은 스마트폰 사용으로 인한 또 다른 질환으로는 소음성 난청과 안구건조증이 있습니다. 소음성 난청은 이어폰을 낀 상태로 오랫동안 음악을 듣거나 동영상을 보는 경우 걸릴 수 있습니다. 스마트폰 사용으로 인해 안구건조증이 생기는 이유를 추리하여 적어보세요.

 손에 잡히는 **STEAM**

> 스마트폰을 오랜 시간 동안 사용하면 눈에 어떤 영향이 있을까요?

▼

> 안구건조증은 무엇인가요?

▼

> 안구건조증과 눈물은 어떤 관련이 있나요?

논술형

3 다음은 좌뇌와 우뇌가 담당하는 여러 가지 기능을 나타낸 것입니다. 스마트폰을 자주 사용하면 좌뇌와 우뇌 중 어느 쪽 뇌가 주로 자극되는지 고르고, 이로 인해 우리 몸에 생길 수 있는 위험성을 적어보세요.

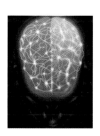

- 좌뇌 : 논리, 수학, 언어, 체계, 계획, 순차, 분석, 추리, 합리, 기억, 정보, 판단
- 우뇌 : 생각, 상상, 색상, 음악, 그림, 감상, 총체, 은유, 감각, 공간, 감정, 개방

손에 잡히는 **STEAM**

> 좌뇌와 우뇌의 기능은 무엇인가요?

▼

> 스마트폰의 사용은 어느 쪽 뇌를 더 자극하나요?

▼

> 이로 인해 나타나는 우리 몸의 문제점은 무엇인가요?

심장, 콩팥, 뇌로 이루어진

08 순환·배설·감각 기관, 신경계

개념 더하기

● 맥박

심장이 오므라들어 피를 동맥으로 밀어낼 때, 동맥은 심한 압력을 받아서 늘어나는데 이것을 맥박이라고 한다. 맥박은 동맥과 피부가 가장 가까운 곳에서 느낄 수 있다. 맥박수는 심장 박동수와 같다.

▲ 맥박을 느낄 수 있는 곳

● 혈액의 구성

혈액은 혈장이라는 액체 성분과 여러 세포로 이루어져 있다. 적혈구는 혈액 세포 중 가장 수가 많고, 산소를 운반한다. 백혈구는 감염에 대항하여 싸운다. 혈소판은 혈액 응고 작용을 한다.

백혈구
혈소판
적혈구

용어 풀이

☑ 심장 박동(마음 心, 내장 臟, 두 드릴 搏, 움직일 動)
심장이 주기적으로 수축과 확장을 하는 운동

정답

⑥ 관가 ④ 빠르 ⑥ 느려

ⓔ 심장 ⓓ 혈관 ⓕ 혈액

ⓔ 운동 ⓗ 영양소 ⓘ 산소

---

1 순환 기관

1. 순환과 순환 기관

① ⓐ_____ : 심장에서 나온 혈액이 혈관을 따라 온몸을 거쳐 다시 심장으로 돌아오는 과정

② 순환 기관 : 혈액의 이동에 관여하는 기관 예 심장, 혈관

2. 순환 기관이 하는 일

★ 탐구   순환 기관이 하는 일 알아보기

🧪 **탐구 과정**

① 수조에 물을 채우고 붉은색 색소를 녹인다.

② 주입기로 붉은 색소 물을 한쪽 관으로 빨아들이고 다른 쪽 관으로 내보낸다.

🧪 **탐구 결과 및 결론**

① 주입기의 펌프를 빠르게 누르면, 붉은 색소 물이 이동하는 빠르기가 ⓑ_____지고 이동량이 많아진다. ➡ 운동할 때, 놀라거나 초조할 때

② 주입기의 펌프를 천천히 누르면, 붉은 색소 물이 이동하는 빠르기가 느려지고 이동량이 ⓒ_____진다. ➡ 잠을 잘 때, 휴식을 취할 때

③ 주입기의 펌프는 ⓓ_____, 주입기의 관은 ⓔ_____, 붉은색 색소 물은 ⓕ_____ 역할을 한다.

3. 순환 기관의 위치와 역할

구분	위치와 생김새	역할
심장	• 몸통 가운데에서 약간 왼쪽으로 치우쳐 있다. • 자신의 주먹만 하다.	• 펌프 작용으로 혈액을 온몸으로 순환시킨다.
혈관	• 가늘고 긴 관이 복잡하게 얽혀 있다. • 온몸에 퍼져 있다.	• 혈액이 이동하는 통로이다.

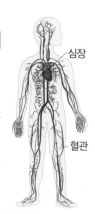

심장

혈관

4. 순환 기관이 하는 일

① ⓖ_____의 펌프 작용으로 혈액이 혈관을 따라 이동하며 우리 몸에 필요한 ⓗ_____와 ⓘ_____를 온몸으로 운반한다.

② 심장이 멈춘다면 혈액이 이동하지 못해 영양소와 산소를 몸에 공급하지 못한다.

2 배설 기관

1. 에너지 생성과 노폐물

① 우리 몸은 소화 과정을 통해 영양소를, 호흡 과정을 통해 산소를 얻는다.

② 영양소와 산소를 이용하여 몸을 움직이고 숨을 쉬는 데 필요한 에너지를 만든다.

③ 에너지를 만들고 사용하는 과정에서 노폐물이 생기고, 노폐물은 혈액을 통해 이동한다.

➡ 노폐물은 몸 밖으로 내보내야 한다.

2. 배설과 배설 기관

① ⓐ_____ : 우리 몸에서 에너지를 만들고 사용하는 과정에서 생긴 노폐물을 몸 밖으로 내

　보내는 과정

② 배설 기관 : 배설에 관여하는 기관 예 콩팥, 방광

구분	위치와 생김새	역할
콩팥	• 강낭콩 모양이다. • 등허리에 두 개 있다.	• 노폐물이 많은 혈액에서 노폐물을 걸러 낸다. • 노폐물이 들어 있는 오줌을 방광으로 보낸다.
방광	• 작은 공 모양이다.	• 콩팥에서 보낸 오줌을 모아 몸 밖으로 내보낸다.

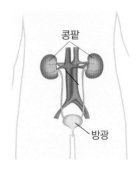

3. 노폐물을 걸러내는 과정

① 온몸을 구석구석 돌고 온 혈액에 노폐물이 쌓인다.

② ⓑ_____ 에서 혈액에 쌓인 노폐물을 걸러 내어 오줌을 만든다.

➡ 노폐물이 걸러진 혈액은 다시 ⓒ_____ 을 통해 순환한다.

③ 걸러진 노폐물이 들어 있는 오줌은 콩팥에 연결된 ⓓ_____
　에 잠시 저장되었다가 일정량이 모이면 관을 통해 몸 밖으로
　나간다.

노폐물이 많은 혈액

노폐물이 걸러진 혈액

노폐물을 포함한 오줌

4. 배설 기관이 하는 일

① 혈액에 있는 노폐물을 걸러 내어 오줌을 만들고 몸 밖으로 내
　보낸다.

② 콩팥이 제 기능을 하지 못하면 노폐물이 몸에 쌓여 병에 걸리
　고, 노폐물을 걸러내기 위한 특별한 시술을 받아야 한다.

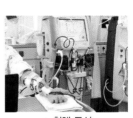

▲ 혈액 투석

개념 더하기

● **다양한 자극의 예**
• 시각 : 투수가 던진 공을 본다.
• 후각 : 방에서 맛있는 냄새가 난다.
• 청각 : 친구 목소리가 들린다.
• 미각 : 사탕에서 단맛이 난다.
• 피부 감각 : 손난로를 잡았더니 따뜻하다.

● **마취**
• 마취는 전신 혹은 특정 부위를 의식, 감각, 반응이 없는 상태로 유지하는 진료 행위이다.
• 전신 마취는 마취제를 투여하여 중추 신경계의 기능을 억제하고, 부분 마취는 신체의 특정 부위의 말초 신경계의 기능을 억제하여 통증을 느끼지 못하게 한다.

용어 풀이

☑ **감각(느낄 感, 깨달을 覺)**
눈, 귀, 코, 혀, 피부로 어떤 자극을 느끼는 일

☑ **자극(찌를 刺, 창 戟)**
생물체의 감각 기관에 작용을 주어 반응을 일어나게 함

☑ **반응(돌이킬 反, 응할 應)**
자극에 대응하여 어떤 현상이 일어나는 것

정답

ⓖ 공운

ⓓ 전달 ⓔ 결정 ⓕ 전달
ⓐ 감각 ⓑ 신경계 ⓒ 감각

---

3 감각 기관과 신경계

1. 감각 기관과 신경계

① ⓐ_____ 기관 : 주변으로부터 전달된 자극을 느끼고 받아들이는 기관

눈	시각 자극을 받아들인다.	주변의 사물을 볼 수 있다.
코	후각 자극을 받아들인다.	냄새를 맡을 수 있다.
귀	청각 자극을 받아들인다.	소리를 들을 수 있다.
혀	미각 자극을 받아들인다.	맛을 알 수 있다.
피부	피부 감각 자극을 받아들인다.	온도와 촉감을 느낄 수 있다.

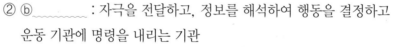

중추 신경계

말초 신경계

② ⓑ_____ : 자극을 전달하고, 정보를 해석하여 행동을 결정하고 운동 기관에 명령을 내리는 기관
• 중추 신경계 : 자극에 대한 정보를 해석하여 행동을 결정한다. 예 뇌, 척수
• 말초 신경계 : 중추 신경계와 연결되어 온몸에 뻗어 있으며 자극을 전달한다.

2. 피구 경기에서 자극 전달 과정

① ⓒ_____ 기관 : 공이 날아오는 것을 본다. ➡ 자극
② 자극을 ⓓ_____ 하는 신경계 : 공이 날아온다는 자극을 전달한다.
③ 행동을 ⓔ_____ 하는 신경계 : 공을 피하거나 잡겠다고 결정한다.
④ 명령을 ⓕ_____ 하는 신경계 : 공을 피하거나 잡으라는 명령을 운동 기관에 전달한다.

⑤ ⓖ_____ 기관 : 몸을 움직여 공을 피하거나 잡는다. ➡ 반응

3. 자극과 반응 과정의 특징

① 자극이 전달되어 반응하기까지 여러 단계를 거친다.
② 주어진 자극에 대해 사람마다 다르게 반응할 수 있다.

4. 감각 기관과 신경계가 하는 일

① 감각 기관 : 주변의 자극을 느끼고 받아들인다.
② 신경계 : 자극을 전달하고, 정보를 해석하여 행동을 결정하고 명령을 내린다.

4 운동할 때 몸에 나타나는 변화

1. 운동할 때 몸에 나타나는 변화

① 심장 박동 : 심장 박동이 ⓐ_____진다.
- 뼈와 근육이 에너지를 만드는 데 필요한 산소와 영양소를 빨리 공급하기 위해서이다.

② 호흡 : 호흡이 ⓑ_____진다.
- 에너지를 만들기 위해 산소가 많이 필요하기 때문이다.
- 운동으로 생긴 이산화 탄소를 몸 밖으로 빨리 내보내기 위해서이다.

③ 체온 : 체온이 ⓒ_____간다.

④ 땀 : 땀이 난다.
- 체온을 조절하기 위해서이다.

2. 몸을 움직이기 위해 각 기관이 하는 일

① 운동 기관 : 뼈와 근육은 영양소와 산소를 이용해 몸을 움직인다.

② ⓓ_____ 기관 : 음식물을 소화시켜 영양소를 흡수한다.

③ ⓔ_____ 기관 : 우리 몸에 필요한 산소를 제공하고 이산화 탄소를 몸 밖으로 내보낸다.

④ ⓕ_____ 기관 : 영양소와 산소를 온몸에 전달하고, 이산화 탄소와 노폐물을 호흡 기관과 배설 기관으로 전달한다.

⑤ ⓖ_____ 기관 : 혈액 속에서 노폐물을 걸러 오줌으로 배설한다.

⑥ ⓗ_____ 기관과 신경계 : 주변의 자극을 받아들이고 반응한다.

3. 각 기관과 주로 관계 있는 질병

① 운동 기관 : 근육통, 골절 등

② 소화 기관 : 위장병, 장염, 변비 등

③ 호흡 기관 : 비염, 감기, 천식 등

④ 순환 기관 : 심장병, 고혈압, 동맥경화 등

⑤ 배설 기관 : 방광염 등

⑥ 감각 기관 : 백내장, 각막염 등

개념 더하기

● 비염

코안에 염증이 있는 것으로, 식염수로 비강을 자주 세척하고 알레르기를 유발하는 요인들을 피해야 한다.

● 고혈압

성인의 수축기 혈압이 140 mmHg 이상이거나 이완기 혈압이 90 mmHg 이상일 때이다. 체중을 줄이고 음식을 짜지 않게 먹으며 스트레스를 받지 않도록 노력해야 한다.

● 동맥경화

동맥이 좁아지고 단단하게 굳어지는 것으로, 혈액의 흐름이 원활하지 않으면 심장이 멈추거나 뇌졸중 등이 나타날 수 있다. 기름진 음식을 피하고 적절한 운동을 해야 한다.

● 방광염

방광에 염증이 생긴 것으로, 자주 소변을 보게 되고 소변 시 통증이 느껴진다. 적당량의 수분을 섭취하고 소변을 너무 참지 않아야 한다.

정답

ⓖ 배설   ⓗ 감각

ⓓ 소화   ⓔ 호흡   ⓕ 순환

ⓐ 빨라   ⓑ 빨라   ⓒ 올라

개념기르기

01 다음은 순환 기관이 하는 일을 알아보기 위한 주입기 모형 실험을 나타낸 것입니다. ㉠과 ㉡ 부분의 역할과 비슷한 우리 몸의 순환 기관을 바르게 짝지은 것은 어느 것입니까? ( )

	①	②	③	④	⑤
㉠	심장	심장	혈관	혈관	혈색
㉡	혈액	혈관	혈액	심장	혈관

02 다음 중 순환 기관에 대한 설명으로 옳은 것을 <u>모두</u> 고르세요. (,)

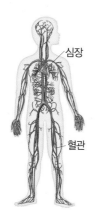

① 심장은 몸통 가운데에서 약간 오른쪽에 치우쳐 있다.
② 심장은 얼굴 정도의 크기이며, 둥근 주머니 모양이다.
③ 심장은 펌프 작용으로 땀을 온몸으로 순환시킨다.
④ 혈관은 가늘고 긴 관이 복잡하게 얽혀 온몸에 퍼져 있다.
⑤ 심장의 펌프 작용은 혈액을 온몸으로 순환시켜 우리 몸에 필요한 산소와 영양소를 운반한다.

03 다음과 같은 기관에서 몸 밖으로 내보내는 것은 어느 것입니까? ( )

① 산소
② 혈액
③ 노폐물
④ 영양소
⑤ 이산화 탄소

04 우리 몸에서 에너지를 만들고 사용하는 과정에서 생긴 노폐물을 몸 밖으로 내보내는 과정을 무엇이라고 합니까? ( )

① 소화
② 순환
③ 호흡
④ 배설
⑤ 반응

05 다음 중 배설에 대한 설명으로 옳은 것은 어느 것입니까? ( )

① 온몸을 구석구석 돌아온 혈액에는 산소가 많다.
② 방광은 노폐물이 많은 혈액에서 노폐물을 걸러 내어 오줌을 만든다.
③ 만들어진 오줌은 콩팥에 잠시 저장되었다가 일정량이 모이면 몸 밖으로 내보낸다.
④ 콩팥이 제 기능을 하지 못하면 노폐물이 몸에 쌓여 병에 걸릴 수 있다.
⑤ 우리 몸이 건강하거나 아플 때 오줌에 들어 있는 성분은 항상 동일하다.

06 다음 중 콩팥에 대한 설명으로 옳은 것은 어느 것입니까?　　　　　　　　　　　　　（　　　）

① 오줌을 저장한다.
② 영양소를 흡수한다.
③ 음식물을 소화시킨다.
④ 우리 몸에 산소를 공급한다.
⑤ 혈액 속의 노폐물을 걸러 낸다.

07 다음 중 감각 기관과 감각 기관의 역할이 <u>잘못</u> 연결된 것은 어느 것입니까?　　　　　　（　　　）

① 혀 – 맛을 본다.
② 코 – 냄새를 맡는다.
③ 귀 – 소리를 듣는다.
④ 피부 – 물체를 옮긴다.
⑤ 눈 – 주변의 사물을 본다.

신유형
08 다음은 자극에 대한 반응 과정을 나타낸 것입니다. ㉠~㉢에 들어갈 용어를 바르게 짝지은 것은 어느 것입니까?　　　　　　　　　　　　　（　　　）

> 자극 → (㉠) 기관 → 자극을 (㉡)하는 신경계
> → 행동을 (㉢)하는 신경계
> → 명령을 (㉣)하는 신경계 → (㉤) 기관 → 반응

	㉠	㉡	㉢	㉣	㉤
①	감각	결정	전달	전달	운동
②	감각	전달	결정	전달	운동
③	전달	감각	결정	운동	전달
④	결정	전달	감각	전달	운동
⑤	운동	전달	감각	결정	감각

09 다음 중 감각 기관과 신경계에 대한 설명으로 옳은 것을 <u>모두</u> 고르세요.　　　　　（　　，　　）

① 뇌와 척수는 중추 신경계이다.
② 중추 신경계는 온몸에 뻗어 있다.
③ 말초 신경계는 자극에 대한 정보를 해석하여 행동을 결정한다.
④ 주변으로부터 전달된 자극을 느끼고 받아들이는 기관을 신경계라고 한다.
⑤ 눈, 코, 귀, 혀, 피부에서 자극을 느끼고 받아들인다.

10 다음 중 운동할 때 나타나는 우리 몸의 변화에 대한 설명으로 옳은 것은 어느 것입니까?　（　　　）

① 호흡이 느려진다.
② 심장 박동이 느려진다.
③ 산소가 많이 필요해진다.
④ 체온이 낮아져 춥게 느껴진다.
⑤ 체온을 높이기 위해 땀이 난다.

중요
11 다음 중 몸을 움직이기 위해 각 기관이 하는 일로 옳지 <u>않은</u> 것은 어느 것입니까?　　（　　　）

① 감각 기관은 자극을 전달하고 판단한다.
② 소화 기관은 음식물을 소화시켜 영양소를 흡수한다.
③ 호흡 기관은 우리 몸에 필요한 산소를 제공하고 이산화 탄소를 몸 밖으로 내보낸다.
④ 배설 기관은 혈액 속에서 노폐물을 걸러 내어 오줌으로 배설한다.
⑤ 순환 기관은 영양소와 산소를 온몸에 전달하고, 이산화 탄소와 노폐물을 호흡 기관과 배설 기관으로 전달한다.

서술형으로 다지기

심장의 역할은 무엇인가요?

▼

혈액이 이동하는 통로는 무엇인가요?

▼

혈액이 운반하는 것은 무엇인가요?

01 다음은 세훈이와 성재가 순환 기관에 대해 이야기를 나눈 내용입니다. ㉠에 들어갈 알맞은 말을 혈액의 이동 및 역할과 관련지어 적어보세요.

- 세훈 : 오른손 바닥을 왼쪽 가슴에 얹으면 두근두근한 느낌이 들어.
- 성재 : 그건, 심장이 몸통 중앙에서 약간 왼쪽으로 치우쳐 있기 때문이야. 자신의 주먹만한 심장이 펌프 작용으로 심장 안의 혈액을 혈관으로 내보낼 때 두근거림이 느껴지는 거지.
- 세훈 : 그럼 심장에서 나온 혈액은 어떻게 되지?
- 성재 : 심장에서 나온 혈액은 _____㉠_____ 다시 심장으로 돌아와.

혈액 투석기는 무슨 일을 하나요?

▼

우리 몸에서 생긴 노폐물을 몸 밖으로 내보내는 기관은 무엇인가요?

▼

혈액 속의 노폐물을 제거하지 않으면 우리 몸에 어떤 영향을 미치나요?

02 혈액 투석은 환자의 혈액을 투석 기계에 통과시켜 혈액 속의 노폐물을 직접 걸러내는 방법입니다. 우리 몸에서 혈액 투석기와 같은 역할을 하는 기관을 고르고, 이 기관이 제 기능을 하지 못할 때 나타나는 일을 적어보세요.

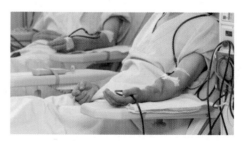

03 책을 읽고 있던 주영이는 전화벨이 울리는 소리를 듣고 전화를 받았습니다. 주영이의 행동에서 자극과 반응을 쓰고, 자극에 대한 반응 과정을 적어보세요.

(1) 자극 :

(2) 반응 :

(3) 자극에 대한 반응 과정 :

🔍 손에 잡히는 문제 해결

자극이란 무엇인가요?
▼
반응이란 무엇인가요?
▼
자극을 받아 반응이 일어나기까지 어떤 과정을 거치나요?

논술형
04 100 m를 매우 빠르게 달리고 나면 심장 박동과 호흡이 빨라집니다. 이러한 변화가 나타나는 이유를 각각 적어보세요.

(1) 심장 박동이 빨라지는 이유 :

(2) 호흡이 빨라지는 이유 :

🔍 손에 잡히는 문제 해결

운동을 할 때 우리 몸에서 필요한 것은 무엇인가요?
▼
심장이 뛰는 이유는 무엇인가요?
▼
호흡을 하는 이유는 무엇인가요?

융합사고력 키우기

STEAM ✨

- ☑ **Science**
  - ▶ 감각 기관, 신경계
- ☐ **Technology**
- ☑ **Engineering**
  - ▶ 에어스프링
- ☐ **Art**
- ☐ **Mathematics**

차만 타면 우리를 괴롭히는 멀미

교통체증으로 몇 시간씩 도로에 묶여 있는 것도 괴로운데, 여기에 멀미까지 생기면 귀성길이 고생길로 변한다.

멀미를 할 때는 구토, 졸림, 불규칙한 호흡, 땀, 두통, 어지럼증, 입술 마름 같은 증상들이 함께 나타난다. 멀미의 원

인으로는 냄새, 자율신경계의 불균형, 심리적인 문제 등 다양한 원인이 있다. 멀미를 하면 체력이 급격히 떨어진다. 멀미를 하지 않으려면 달리는 차 안에서 책을 읽는 것을 피하고, 자주 환기하고, 창밖 먼 풍경을 바라보며 안정을 취하는 것이 좋다. 그런데 평소에 멀미를 하지 않는 사람이라도 귀성길에서 멀미를 하는 경우가 종종 있다. 이러한 현상을 귀성길 멀미라고 한다. 귀성길 멀미는 길이 막혀 가다 서기를 반복하며 느리게 움직이기 때문에 생긴다.

옛 대관령처럼 꼬불꼬불한 곡선길이 계속되는 곳은 멀미를 생기게 하는 구역이다. 커브를 돌 때 1 Hz 미만의 저주파 진동이 발생하기 때문이다. 같은 커브를 돌아도 승용차보다 버스가 시간이 오래 걸리므로 버스를 타면 저주파 진동에 의한 멀미가 더 잘 생긴

다. 또한, 버스는 바닥에서 오는 충격을 흡수하기 위해 의자 아래에 에어스프링을 설치하는데, 속도를 낮추면 에어스프링이 차 전체에 꿀렁거리는 느낌을 전달하기 때문에 멀미가 더 잘 생긴다.

용어 풀이

☑ **귀성(돌아올 歸, 살필 省)길**
고향으로 가거나 돌아오는 길

☑ **자율신경계(스스로 自, 법칙 律, 귀신 神, 지날 經, 묶을 系)**
신체를 구성하는 여러 기관의 기능을 조절하는 신경

☑ **저주파(낮을 低, 두루 周, 물결 波)**
주파수가 낮은 파동으로, 0.63 Hz 이하의 저주파 진동에 일정 시간 노출되면 멀미가 생긴다.

☑ **충격(부딪칠 衝, 부딪칠 擊)**
물체에 급격히 가하여지는 힘

1 평소에 멀미를 하지 않던 사람도 귀성길에 가다 서기를 반복하며 느리게 움직이기 때문에 멀미를 하는 현상을 무엇이라 하나요?

2 우리 몸에서 평형은 주로 뇌가 눈과 귀의 신호를 전달받아 조절합니다. 평상시에는 눈이 받아들인 시각 정보와 귀의 평형 기관이 받아들인 위치 정보가 일치하기 때문에 안정된 상태가 유지됩니다. 이를 바탕으로 차를 탔을 때 멀미가 생기는 이유를 적어보세요.

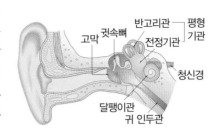

멀미

손에잡히는 STEAM

우리 몸에서 평형을 담당하는
기관은 어디인가요?

▼

우리 몸이 평형을 유지하는
원리는 무엇인가요?

▼

차를 탔을 때 시각 정보와
위치 정보에는 어떤 변화가 생기나요?

논술형

3 멀미를 할 때 창문을 열어 시원한 바람을 쐬면 증상이 줄어듭니다. 창문을 열어 시원한 바람을 쐬면 차 안의 각종 역한 냄새가 사라지기 때문입니다. 이 외에 멀미를 줄이거나 예방할 수 있는 방법을 <u>세 가지</u> 적어보세요.

손에잡히는 STEAM

멀미의 원인은 무엇인가요?

▼

멀미의 증상은 무엇인가요?

▼

위치 정보의 변화를 줄이려면
어떻게 해야 하나요?

빨대 손가락

손가락을 자유롭게 구부리거나 펴는 활동을 할 수 있는 이유는 무엇일까요? 빨대 손가락을 통해 알아보세요.

준비물

손바닥 부록(p.107), 마분지, 구부러지는 빨대 5개, 가위, 칼, 풀, 실, 펀치, 네임펜, 셀로판테이프, 색연필

탐구 과정

① 손바닥 부록 뒷면 손등 부분을 색연필로 꾸민다.

② 손바닥 부록에 구부러지는 빨대 5개를 올리고 길이에 맞게 자른 후 펜으로 마디를 모두 표시한다.

③ 표시한 마디를 펀치로 절반만 구멍을 뚫어 홈을 만든다.

    ＊뚫어진 홈은 한 줄로 연결되어 있어야 한다.

④ 홈이 위로 향하도록 빨대를 손바닥 부록에 셀로판테이프로 붙인다.

⑤ 빨대 안으로 실을 통과시킨 후, 손가락 끝부분에 실이 움직이지 않도록 셀로판테이프로 붙인다.

⑥ 손바닥 부록 마디를 접었다 편다.

⑦ 실을 당겨서 여러 가지 손동작을 만들고 물건을 옮겨 본다.

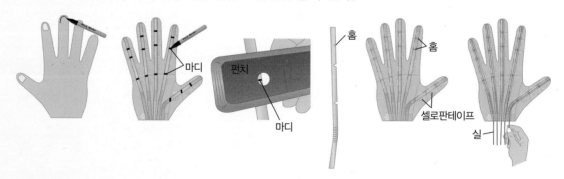

☝ 주의사항

• 펀치로 홈을 뚫을 때 빨대가 끊어지지 않도록 주의한다.

• 실을 손가락 끝부분에 단단히 고정한다.

1 실을 잡아당기면 빨대 손가락 모형이 어떻게 되는지 적어보세요.

2 빨대 손가락 모형을 우리 손과 비교하여 빨대와 실에 해당하는 부분을 적어보세요.

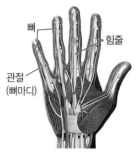

뼈

힘줄

관절
(뼈마디)

3 빨대 손가락 모형을 바탕으로 우리 몸이 움직일 수 있는 원리를 적어보세요.

STEAM

4 휴머노이드란 인간의 신체와 비슷한 모습을 갖춘 로봇으로, 머리, 몸통, 팔, 다리가 있고, 두 발로 걸을 수도 있습니다. 우리나라 휴머노이드인 휴보는 가위바위보를 할 수 있을 정도로 손가락이 자유롭게 움직이고 가벼운 춤까지 출 수 있습니다. 그러나 휴보의 움직임은 사람과 달리 매우 부자연스러워 보입니다. 로봇의 움직임이 부자연스러운 이유를 적어보세요.

휴보

융합인재교육 STEAM 이란?

• 수학, 과학, 기술, 공학 간 상호 연계성 고려, 학문 간 공통 핵심 요소 중심으로 교육
• 예술적 소양을 함양하고 타 학문에 대한 이해가 깊은 미래형 인재 양성으로 교육

[자료 출처 : 한국과학창의재단]

융합인재교육은 과학기술공학과 관련된 다양한 분야의 융합적 지식, 과정, 본성에 대한 흥미와 이해를 높여 창의적이고 종합적으로 문제를 해결할 수 있는 융합적 소양(STEAM Literacy)을 갖춘 인재를 양성하는 교육이라고 정의하고 있다. 학습자가 실제 문제 상황을 다양하게 설계하고 해결하는 과정을 통해 새로운 개념을 생성하고, 창의적으로 설계하며, 더불어 사는 인성, 즉 사회적 감성을 발달하도록 하는 것이다.
이러한 융합인재교육(STEAM)의 목적은 다음과 같이 정리할 수 있다.

✿ 빠르게 변화하는 사회 변화의 적응력을 높이는 것이다.
✿ 개인의 창의 인성, 지성과 감성의 균형 있는 발달을 돕는 것이다.
✿ 타인을 배려하고 협력하며, 소통하는 능력을 함양하는 것이다.
✿ 과학 효능감과 자신감, 과학에 대한 흥미 등을 증진시킴으로써 과학 학습에 대한 동기 유발을 높이는 것이다.
✿ 융합적 지식 및 과정의 중요성을 인식시키는 것이다.
✿ 학습자 중심의 수평적 융합적 교육으로 전환하는 것이다.
✿ 합리적이고 다양성을 인정하는 문화 형성에 기여하는 것이다.
✿ 대중의 과학화를 기반으로 한 합리적인 사회를 구성하는 데 기여하는 것이다.
✿ 창조적 협력 인재를 양성하는 것이다.
✿ 수학, 과학, 기술, 공학 간 상호 연계성 고려, 학문 간 공통 핵심 요소 중심으로 교육
✿ 예술적 소양을 함양하고 타 학문에 대한 이해가 깊은 미래형 인재 양성으로 교육

안쌤의
줄기과학 시리즈

새 교육과정
3~4학년
학기별
STEAM 과학

3-1 **8강**　3-2 **8강**　　　　4-1 **8강**　4-2 **8강**

새 교육과정
5~6학년
학기별
STEAM 과학

5-1 **8강**　5-2 **8강**　　　　6-1 **8강**　6-2 **8강**

새 교육과정
중등 영역별
STEAM 과학

물리학 **24강**　화학 **16강**　생명과학 **16강**　지구과학 **16강**　　　　물리학 워크북　　화학 워크북

안쌤이 추천하는
영재교육원 대비 5,6학년 로드맵

STEP

개념+창의력

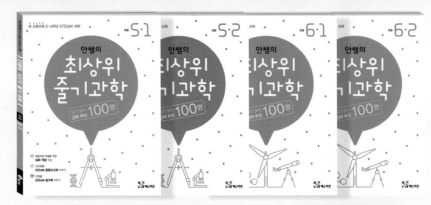

안쌤의 최상위 줄기과학 초등 시리즈 `학기별 8강, 총 32강`

STEP

문제해결력

안쌤의 창의적 문제해결력 시리즈 `수학 8강, 과학 8강`

STEP

실전테스트

안쌤의 창의적 문제해결력 실전 시리즈 `수학 50제, 과학 50제, 모의고사 4회`

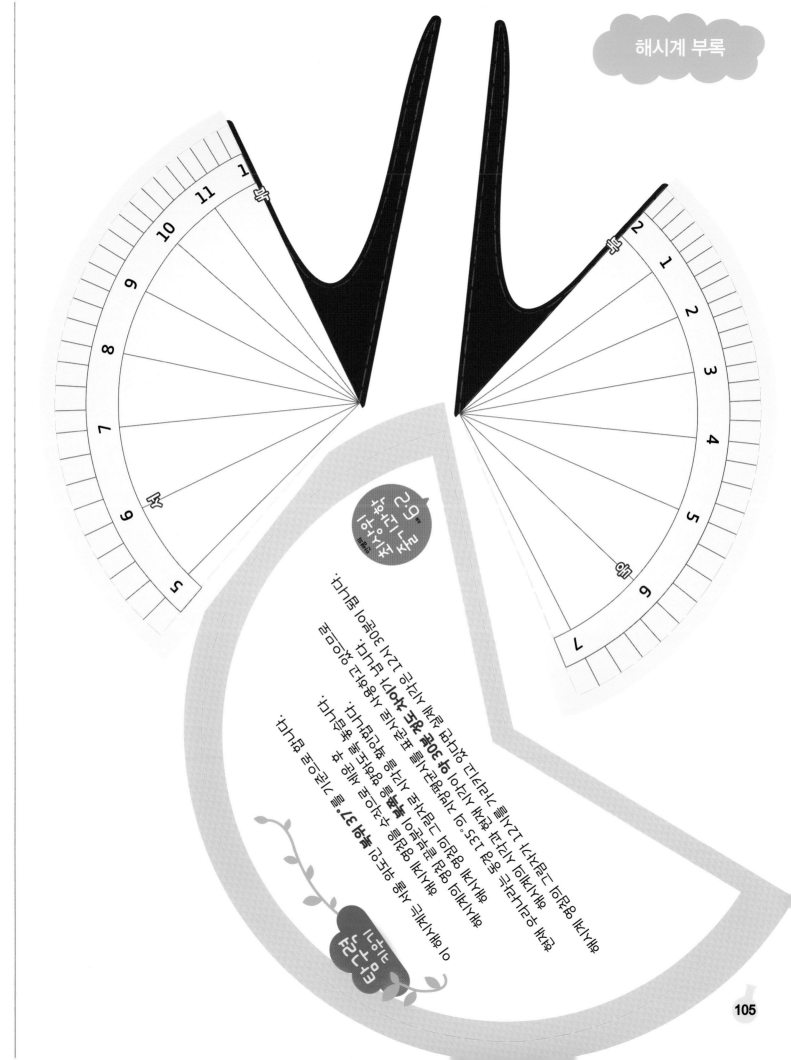

안쌤의
창의적 문제해결력 시리즈

초등 1~2 학년

초등 3~4 학년

초등 5~6 학년

중등 1~2 학년

안쌤의 줄기과학 시리즈

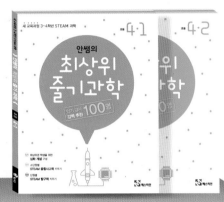

새 교육과정 5~6학년 STEAM 과학

초등 **6·2**

안쌤의
최상위 줄기과학

인기 강사
강력 추천 **100명**

정답 및
해설

- 최상위권 학생을 위한
  심화 개념 구성
- 소단원별
  STEAM 융합사고력 키우기
- 단원별
  STEAM 탐구력 키우기

매스티안

검수

김은미, 김종욱, 김혜숙, 박윤희, 박재성, 송문정, 이지현, 이한나, 임성은, 전익찬, 정보경, 정인권

인기 강사 100명 강력 추천

강도연, 강미라, 강옥주, 강은영, 강혜정, 고려욱, 곽미영, 김민정, 김보란, 김순정, 김연지, 김영준, 김은선, 김은희, 김정숙, 김정아, 김정애, 김종욱, 김주석, 김형진, 김효선, 노형섭, 문희정, 박노섭, 박선미, 박세언, 박애자, 박우용, 박윤하, 박정연, 박지은, 박진국, 박하나, 박헌진, 배정인, 배혜정, 백광열, 백지연, 변애나, 복주리, 서동진, 서유경, 서윤정, 소선영, 신규숙, 신상희, 신석화, 신현주, 안진희, 엄정연, 염경화, 오고운, 옥정화, 유나영, 유영란, 윤민혜, 윤소희, 윤순주, 이강윤, 이동림, 이미정, 이선영, 이연주, 이영주, 이영훈, 이윤정, 이은덕, 이지영, 이진경, 이혜림, 임선화, 장수진, 장윤희, 장치은, 전익찬, 전진홍, 정동훈, 정보혜, 정수일, 정영숙, 정재은, 정희현, 조영부, 조은실, 조정숙, 지다인, 차규상, 채진희, 최성덕, 최용덕, 최진영, 하영진, 한승철, 한정희, 한지연, 홍금자, 홍영주, 홍정연, 황병문, 황보혜정

정답 및 해설

정답 및 해설

Ⅰ 전기의 이용

🌱 01 전기 회로

01 ①　　02 ②, ⑤　03 ⑤　　04 ③　　05 ①
06 ②　　07 ①, ④　08 ④　　09 ④　　10 ①, ④

01 점토 인형에 전지를 연결하면 색깔 점토와 발광 다이오드에 전기가 흐르기 때문에 불이 켜진다. 색깔 점토가 굳으면 전기가 통하지 못해 불이 켜지지 않고, 색깔 점토를 한 덩어리로 만들면 합선이 일어나 불이 켜지지 않는다.

02 전구가 전지의 (+)극과 (−)극에 각각 연결되어 있어야 불이 켜진다.

03 도체는 전류가 잘 흐르는 물질로 철, 구리, 알루미늄, 흑연 등이 있다. 나무, 비닐, 유리, 종이 등과 같이 전류가 잘 흐르지 않는 물질은 부도체이다.

04 고무는 전기가 통하지 않는 부도체로, 전류가 손이나 다른 전선으로 흐르는 것을 막아준다.

05 ㉠−필라멘트, ㉡−유리구, ㉢−지지대, ㉣−꼭지쇠, ㉤−꼭지이다.

06 전지의 직렬연결은 전지 두 개 이상을 서로 다른 극끼리 한 줄로 연결한 것으로, 전지 한 개를 빼내면 전구의 불이 꺼진다.

07 전지가 병렬로 연결된 전기 회로에서는 전지 한 개를 빼도 회로에 전류가 흐르기 때문에 전구의 불이 꺼지지 않는다.

08 전구의 직렬연결은 전구 여러 개가 한 줄로 연결되어 있어 전류가 흐르는 데 방해를 준다. 따라서 각 전구의 밝기는 전구 한 개가 연결된 전기 회로의 전구의 밝기보다 어둡다. 전구의 병렬연결은 전구 한 개를 연결한 전기 회로가 여러 개 있는 것과 같다. 따라서 각 전구의 밝기는 전구 한 개가 연결된 전기 회로의 전구의 밝기와 같다.

09 ① 전구 한 개를 빼면 다른 전구도 불이 꺼진다.
② 같은 방법으로 전구를 더 연결하면 각 전구의 밝기는 어두워진다.
③ 전지를 한 개만 연결하면 전구의 밝기는 어두워진다.
⑤ 전구 한 개가 연결된 전기 회로의 전구의 밝기보다 어둡다.

10 전지의 (+)극에서 나온 전류는 전선, 전구, 스위치를 거쳐 전지의 (−)극으로 들어간다.

01 모범답안
• 수명이 길다.
• 에너지 효율이 높아 전기료가 싸다.
• 빛이 밝아서 흐린 날에도 잘 볼 수 있다.
• 여러 개의 발광 다이오드를 사용하므로, 하나가 고장 나도 전체에는 큰 영향이 없다.
해설 발광 다이오드는 빛을 내는 반도체를 사용한 것으로, 열을 발생시켜 빛을 내는 백열등과 달리 전기가 직접 반도체를 통과하여 빛으로 전환된다. 발광 다이오드는 낮은 전력으로 밝은 빛을 낼 수 있고, 백열등과 달리 열을 많이 방출하지 않는다. 또한 약 100만 가지 정도의 색을 낼 수 있어 건물의 조명, 교통 신호등, 스마트폰, 전광판, 텔레비전 등에 다양하게 이용된다.

02 모범답안 전류가 흐르지 못하므로 전구의 불이 꺼진다.
해설 전지를 직렬로 연결하면 전기가 흐르는 길이 하나이므로, 직렬연결한 전지의 연결 부위를 끊으면 전류가 흐르지 않게 되어 전구의 불이 꺼진다.

03 모범답안 전지의 수를 늘려 직렬로 연결한다.
해설 현재 상태에서 전류의 세기를 세게 할 수 있는 방법을 찾는다. 전지를 직렬연결하면 병렬연결할 때보다 전류가 세게 흐른다.

04 모범답안
• 전기 제품 중 하나를 끄면 모두 작동하지 않는다.
• 전기 제품 하나를 사용할 때도 모든 전기 제품이 작동하므로 전기 에너지를 많이 쓸 것이다.
해설 전기 제품을 모두 직렬로 연결하면 한 가지를 사용하기

위해서 모든 제품이 끊어지지 않고 연결되어 있어야 한다. 예를 들어 TV를 보기 위해 라디오, 냉장고, 전자레인지 등에 모두 전류가 흘러야 한다. 전기 제품을 병렬로 연결하면 각 전기 제품을 따로따로 작동시킬 수 있다. 그러나 동시에 여러 가지 전기 제품을 너무 많이 사용하면 전류가 너무 많이 흐르게 되고, 전선이 과열되어 누전이나 화재 발생의 위험이 있다. 따라서 이를 보호하기 위해 일정량 이상의 전류가 흐르면 자동으로 전기를 차단하는 누전 차단기를 설치해야 한다.

융합사고력 키우기
16~17쪽

01 **모범답안** 필라멘트에 전류가 흐르면 열이 발생하고, 온도가 높아지면 열복사에 의해 빛을 낸다.

02 **모범답안** 전기 에너지가 빛에너지로 전환되는 비율이 낮고 대부분 열에너지로 전환되기 때문이다.
해설 백열등은 필라멘트에 전류를 흘려주면 열이 발생하고, 온도가 높아지면 빛을 낸다. 백열전구는 사용하는 전기 에너지의 5 % 정도만 빛을 내는 데 쓰고, 나머지 95 %는 열로 내보내므로 에너지 효율이 낮다.

03 **예시답안**
- 디지털 시계나 손목시계 : 발광다이오드(LED)를 사용하면 선명하게 잘 보이고 인테리어 소품으로 활용할 수 있다.
- 발광다이오드(LED) TV, 발광다이오드(LED) 컴퓨터 모니터 : 화면이 선명하고, 얇게 만들 수 있다.
- 발광다이오드(LED) 신호등, 발광다이오드(LED) 자동차용 램프 : 백열등보다 밝고, 전기 에너지 소모가 적다.
- 발광다이오드(LED) 전광판, 발광다이오드(LED) 조명장치 : 다양한 색으로 만들 수 있다.

▲ 발광다이오드(LED) 시계

▲ 발광다이오드(LED) 신호등

해설 발광다이오드(LED)는 전기 에너지 소모가 적고 수명이 길 뿐만 아니라 크기가 작아서 다양한 제품에 활용되고 있다. 하지만 가격이 비싸고 빛을 비추는 면적이 좁다는 단점이 있다.

🌱 02 전자석

개념 기르기
22~23쪽

01 ⑤ **02** ④ **03** ⑤ **04** ②, ④ **05** ⑤
06 ③ **07** ③, ④ **08** ② **09** ② **10** ④
11 ① **12** ⑤

01 나침반 바늘과 막대자석의 같은 극끼리는 서로 밀어내고, 다른 극끼리는 서로 잡아당긴다.

02 전류가 흐르는 전선 주위에는 자석의 성질이 나타나므로 나침반 바늘의 움직임에 영향을 준다.

03 나침반과 전선을 최대한 가까이 놓으면 자석의 성질이 더 크게 작용하기 때문에 나침반 바늘의 움직임이 커진다.

04 전지 두 개를 직렬연결하면 전류가 많이 흘러 전선 주위의 자석의 성질이 세지므로, 나침반 바늘이 더 빨리, 더 많이 움직인다.

05 전류가 흐르는 전선 주위에 자석의 성질이 나타나기 때문에 전선 주변의 나침반 바늘이 움직인다.

06 전자석을 만들 때 둥근머리 볼트에 종이 테이프를 감는 이유는 에나멜선의 도체 부분과 둥근머리 볼트가 닿으면 에나멜선과 둥근머리 볼트에 전류가 흘러 단락(합선) 현상이 일어날 수 있기 때문이다. 에나멜선을 감은 수에 따라 전자석의 세기가 달라지며, 한쪽 방향으로 많이 감을수록 전자석의 세기가 세진다.

07 강한 전자석은 나침반 바늘을 많이 움직이게 하고, 시침바늘이나 클립을 많이 끌어당긴다. 전자석의 세기는 전지가 직렬연결될수록 세지므로 전지의 개수만으로 전자석의 세기를 비교할 수 없다.

08 전선의 감은 횟수에 따라 전자석의 세기가 얼마나 달라지는지 알아보는 실험이다.

09 전지의 수가 많고 직렬연결할수록, 에나멜선이 굵고, 볼트에

에나멜선을 많이 감을수록, 볼트의 굵기가 굵을수록 전자석의 세기가 세진다.

10 전자석은 자석의 세기를 조절할 수 있지만, 영구 자석은 자석의 세기를 바꿀 수 없다.

11 나침반은 영구 자석을 이용하여 만든 도구이다.

12 전선을 잡아당겨 플러그를 뽑으면 피복 내부의 전선이 끊어져 합선이 될 수 있다. 합선이 되면 전류가 많이 흘러 심한 경우 화재가 발생할 수 있다.

서술형으로 다지기
24~25쪽

01 모범답안 (가)와 (다) 또는 (나)와 (라), 전류의 방향만 다르고 다른 모든 조건은 같게 해야 하기 때문이다.
해설 전류가 흐르는 전선 주위에는 자석의 성질이 나타나기 때문에 나침반을 놓으면 나침반 바늘이 움직인다. 전선 주위에서 나침반이 움직이는 방향은 전류의 방향에 따라 변하고, 전류의 방향이 같은 경우 전류가 흐르는 전선의 위치에 따라 달라진다.

02 모범답안
• 전지의 극을 반대로 연결한다.
• 에나멜선의 감는 방향을 바꾼다.
해설 막대자석과 같은 영구 자석은 N극과 S극이 고정되어 있어 바꿀 수 없다. 그러나 전자석은 전지의 극을 반대로 연결하거나 에나멜선의 감는 방향을 바꿔 전자석의 극을 바꿀 수 있다.

03 모범답안 나침반은 항상 자석의 성질을 나타내지만 전자석 기중기는 전류가 흐를 때에만 자석의 성질을 나타낸다.
해설 나침반은 영구 자석을 이용하므로 자석의 세기를 조절할 수 없지만, 전자석 기중기는 전자석을 이용하므로 자석의 세기를 조절할 수 있다.

04 모범답안 전기 제품에 많은 양의 전류가 흘러 온도가 높아지면 퓨즈가 끊어져 전기 제품에 전류가 흐르지 못하게 한다.
해설 퓨즈는 높은 온도에서 쉽게 녹는 금속으로 만든 연결선이다. 전기 회로에 많은 양의 전류가 흘러 온도가 높아지면

퓨즈가 가장 먼저 끊어져 전류가 흐르지 않게 하므로 다른 전기 부품이 손상되는 것을 막는다.

융합사고력 키우기
26~27쪽

01 모범답안 진동
해설 진동판이 진동하면 공기도 같이 진동하여 소리가 난다.

02 모범답안 보이스 코일에 전류가 흐르면 자석의 성질이 나타나고, 영구 자석과 작용하여 밀거나 당기는 힘이 생긴다. 이 힘에 의해 진동판이 떨리면서 소리가 난다.
해설 스피커는 전기 에너지를 진동판의 진동 에너지로 변환하여 소리를 만든다. 보이스 코일에 시간에 따라 전류의 방향과 세기가 달라지는 교류 전류가 흐르면 전류의 방향이 바뀔 때마다 진동판이 왕복 운동을 하면서 소리를 낸다.

03 예시답안
• 일반 오디오 기기, TV, 라디오, 컴퓨터, 전화기 등 기존 스피커를 대신한다.
• 휴대폰 스피커 : 얇고 공간을 적게 차지하기 때문에 작은 휴대폰의 스피커로 사용한다.
• 소리 나는 동화책, 소리 나는 편지지 : 종이에 필름형 스피커를 붙여 소리를 재생시킨다.
• 스피커 액자 : 액자와 필름형 스피커를 결합하여 인테리어 소품으로 활용한다.
• 완구용, 광고용, 이벤트 상품 : 컬러 인쇄가 가능하고 둘둘 말 수 있으며, 다양한 모양으로 제작할 수 있다.
• 수중음파탐지기 : 잘 찢어지지 않고 물에 젖지 않으므로, 물속에서도 소리가 잘 들린다. 배터리를 이용하면 전원 장치와 연결하지 않고 물속에서 사용할 수 있다.
해설 수정이나 전기석 같은 물질에 압력이나 진동을 가하여 형태를 변형시키면 전류가 흐르고, 반대로 전류가 흐르면 진동한다. 이러한 효과를 압전 효과라 하며, 필름형 스피커는 압전 효과를 이용한다. 필름형 스피커는 고분자화합물 필름으로 만든다. 필름의 표면에 압력을 가하여 전극을 형성하도록 한 후, 소리 정보를 가진 전류를 흘려보내면 필름이 진동하며 소리를 낸다. 필름형 스피커는 가볍고 얇으며, 투명하고 디자인을 다양하게 할 수 있다. 또한 두루마리처럼 말 수도 있다.

🌱 03 에너지와 생활

01 ③   **02** ③, ⑤   **03** ④   **04** ④   **05** ⑤

06 ④   **07** ③   **08** ②   **09** ④   **10** ⑤

11 ②   **12** ④

01 사람은 음식을 먹어 소화시켜 에너지를 얻는다.

02 벼, 감나무와 같은 식물은 햇빛을 받아 광합성을 하여 에너지를 얻는다.

03 ① 운동 에너지 : 움직이는 물체가 가지는 에너지
② 전기 에너지 : 전기 기구들을 작동시키는 에너지
③ 빛에너지 : 주위를 밝게 비추는 에너지
⑤ 열에너지 : 물체의 온도를 높이는 에너지

04 책상 위에 놓인 책과 천장에 매달린 모빌은 위치 에너지를 가지고 있다. 햇빛은 열에너지, 움직이는 학생은 운동 에너지, 가스레인지 불꽃은 열에너지와 빛에너지, 장난감 자동차 안의 전지는 전기 에너지를 가지고 있다.

05 전기난로는 전기 에너지가 열에너지로 전환되고, 불꽃놀이는 화학 에너지가 빛에너지와 열에너지로 전환된다. 전기난로와 불꽃놀이에 공통으로 관련된 에너지는 열에너지다.

06 전기 에너지가 운동 에너지로 전환되어 범퍼카를 움직인다.

07 ① 불이 켜진 전등 : 전기 에너지 → 빛에너지
② 떠오르는 열기구 : 화학 에너지 → 열에너지 → 위치 에너지
④ 떨어지는 폭포수 : 위치 에너지 → 운동 에너지
⑤ 비탈을 오르는 롤러코스터 : 운동 에너지 → 위치 에너지

08 전기 에너지는 저장, 운반이 쉽고 다른 에너지로 쉽게 전환된다. 우리 생활에서 편리하게 사용하고 있는 선풍기, 전기 스탠드, 전기다리미 등의 전기 기구는 전기 에너지를 여러 다른 형태의 에너지로 전환하여 사용하는 것이다.

09 전동기는 전기 에너지를 운동 에너지로 전환한다.

10 생물은 태양으로부터 살아가는 데 필요한 에너지를 얻고, 우리도 태양으로부터 온 에너지를 여러 가지 형태로 전환해 생활에 활용한다.

11 전구는 전기 에너지를 빛에너지로 전환하는 기구이다. 전환된 빛의 밝기가 같을 경우 사용한 전기 에너지의 양이 적을수록 에너지 효율이 높다.

12 빛에너지로 전환되는 효율이 높은 발광 다이오드(LED)등을 사용하면 백열등을 사용할 때보다 열에너지로 전환되어 손실되는 에너지를 줄일 수 있다.

01 모범답안
- 에너지 절약이라는 말을 사용한다.
- 게임에서 에너지를 충전한다는 말을 사용한다.
- 전기 기구에 에너지 소비 효율 등급을 표시한다.
- 힘이 센 사람을 에너지가 넘치는 사람이라고 부르기도 한다.

해설 에너지는 무엇인가를 움직이고 변화시킬 수 있는 것으로 여러 가지 일을 할 수 있는 능력을 의미한다. 에너지는 눈에 보이지 않으며 물질은 에너지를 가지고 있다.

02 모범답안
- 빛에너지 : 신호등, 태양
- 운동 에너지 : 걸어다니는 사람, 움직이는 자동차
- 화학 에너지 : 나무, 자동차의 연료
- 전기 에너지 : 신호등
- 위치 에너지 : 높은 곳에 있는 신호등, 표지판
- 열에너지 : 신호등의 열, 자동차 엔진의 열

해설 에너지는 열에너지, 전기 에너지, 빛에너지, 화학 에너지, 운동 에너지, 위치 에너지 등 다양한 형태가 있다.

03 모범답안
- 전기난로나 전기다리미는 전기 에너지를 열에너지로 전환한다.
- 손을 비비면 운동 에너지가 열에너지로 전환된다.
- 철사를 여러 번 구부렸다가 펴기를 반복하면 운동 에너지

가 열에너지로 전환된다.

• 나무를 문지르거나 성냥을 문지르면 운동 에너지가 열에너지로 전환된다.

• 손난로는 화학 에너지를 열에너지로 전환한다.

04 모범답안 추운 겨울을 나기 위해 생물이 에너지를 효율적으로 이용하는 방법이다.

해설 겨울눈은 추운 겨울에 열에너지가 빠져나가는 것을 줄여주어 식물의 싹이 어는 것을 막는다. 동물의 겨울잠은 생명 유지 및 체온 유지를 위해 이용해야 할 화학 에너지의 양을 줄이는 방법이다. 겨울눈과 겨울잠은 식물과 동물이 겨울을 나기 위한 방법이다.

융합사고력 키우기 36~37쪽

01 모범답안

• 적은 에너지로 쾌적한 생활 환경을 유지할 수 있다.

• 신·재생 에너지를 이용하여 에너지 비용을 절약할 수 있다.

02 모범답안

• 태양 빛을 활용하려면 낮 시간에 블라인드를 올려야 한다.

• 지열을 활용한 온수의 최고 온도가 43 ℃이므로 아주 뜨겁지 않다.

• 일반 건축물보다 공사비가 많이 든다.

• 아직 개발 중인 기술이 많기 때문에 완성하는 데 오랜 시간이 걸린다.

해설 에너지 제로 주택은 생활하는 데 필요한 최소한의 에너지를 청정에너지로 사용하고, 그 이상의 양을 사용했을 때는 본인이 비용을 부담한다.

03 모범답안

• 벽, 지붕, 바닥 등에 두꺼운 단열재를 사용한다.

• 이중창, 삼중창, 단열 유리 등으로 집안과 밖 사이의 열 이동을 최대한 차단한다.

• 환기 시 따뜻한 실내 공기와 차가운 바깥 공기가 직접 만나지 않게 하면서 실내로 들어오는 바깥 공기의 온도를 높인다.

해설 단열재를 사용하거나 외벽을 두껍게 만들고, 단열 유리로 창문을 만들면 내부의 열이 외부로 빠져나가지 않도록 하여 에너지 효율을 높일 수 있다. 이처럼 보온 단열재, 고단열

창호 등 건축 자재로 실내 열 손실을 줄이는 것을 패시브 기술이라고 한다. 패시브 하우스는 이러한 패시브 기술 외에도 열 회수형 환기 장치를 설치하여 에너지 손실을 줄인다. 환기는 실내의 맑은 공기를 위해 꼭 필요하지만, 실내 안팎의 공기를 교체하는 과정에서 열에너지가 손실된다. 열 회수형 환기 장치는 환기 시 실내 공기의 열을 안으로 들어오는 바깥 공기로 전달한다. 열 회수형 환기 장치를 사용하면 환기 후 실내 온도의 변화가 크지 않아 쾌적한 상태를 지속해서 유지할 수 있다.

탐구력 키우기 38~39쪽

01 모범답안

• 10 cm 에나멜선에 연결했을 때 : 프로펠러가 빨리 돈다.

• 45 cm 에나멜선에 연결했을 때 : 프로펠러가 천천히 돈다.

해설 프로펠러가 돌지 않으면 손으로 살짝 움직여 준다. 만약 프로펠러에서 바람이 뒤쪽으로 분다면 전동기에 연결된 전선 두 개의 위치를 서로 바꾸어 전류의 방향을 바꾸어 준다.

02 모범답안 에나멜선이 길수록 전기 저항이 커져 전류가 잘 흐르지 못하기 때문이다.

해설 에나멜선은 전기 저항이고, 에나멜선의 길이가 길수록 전기 저항이 커진다. 전기 저항이 클수록 전류가 잘 흐르지 못하고, 전기 저항이 작을수록 전류가 잘 흐른다. 긴 에나멜선에 연결하면 전기 저항이 커서 전류가 잘 흐르지 못하므로, 프로펠러가 천천히 돈다. 그러나 짧은 에나멜선에 연결하면 전기 저항이 작아서 전류가 잘 흐르므로 프로펠러가 빨리 돈다.

03 모범답안

• 전지를 직렬로 더 연결한다

• 에나멜선의 길이를 더 짧게 한다.

• 에나멜선을 사용하지 않는다.

• 전선의 길이를 최대한 짧게 한다.

해설 전류가 많이 흐르면 프로펠러가 빨리 회전하므로 선풍기 바람을 세게 만들 수 있다. 전류를 증가시키기 위해서는 전지를 직렬연결하여 전압을 크게 하거나 전기 저항을 작게 한다.

04 모범답안 버튼을 돌리면 연결된 전기 저항의 길이가 달라져

풍속이 조절된다.

해설 버튼을 누르는 스위치는 각 스위치에 정해진 전기 저항이 연결되어 있으므로 정해진 풍속으로만 조절할 수 있다. 버튼을 돌리는 스위치는 다양하고 미세하게 풍속을 연속적으로 조절할 수 있다. 가변저항과 연결된 버튼을 돌리면 저항 길이가 달라지면서 전기 저항값이 변하므로 풍속이 조절된다. 일반적으로 가변저항의 각도는 300°이다.

약 　　　　　강

전기 저항 길이가 길어 전류가 적게 흐르므로, 풍속이 약하다.

전기 저항 길이가 짧아 전류가 많이 흐르므로, 풍속이 강하다.

Ⅱ 계절의 변화

🌱 04 계절의 변화

개념 기르기 46~47쪽

01 ⑤	02 ④	03 ②	04 ②	05 ①
06 ④	07 ⑤	08 ⑤	09 ④	10 ②
11 ④	12 ②			

01 태양 고도 측정기는 태양 빛이 잘 드는 편평한 곳에 두고 사용해야 한다.

02 하루 동안 태양의 위치(고도)가 변하는 것은 지구하기 때문이다.

03 ㉠일 때 그림자의 길이가 가장 짧으므로 태양이 남중했을 때이며, 이때의 고도를 태양의 남중 고도라고 한다.

04 태양 고도가 가장 높을 때와 기온이 가장 높을 때는 약 두 시간 정도 시간 차이가 있다. 태양 에너지가 지표면을 데우고, 데워진 지표면에 의해 공기의 온도가 높아지는데, 공기가 데워지는 데 시간이 걸리기 때문이다.

05 태양의 남중 고도는 태양이 남중했을 때의 고도로, 하루 중 태양 고도가 가장 높고 그림자는 정북쪽을 향하며 그림자 길이가 가장 짧다. 지표면이 데워지는 데 시간이 걸리기 때문에 태양이 남중했을 때 기온이 가장 높지 않다.

06 태양의 남중 고도가 높으면 낮의 길이가 길고, 태양의 남중 고도가 낮으면 낮의 길이가 짧다. 가을이 되면 남중 고도가 낮아져 낮의 길이가 짧아진다.

07 태양의 남중 고도가 낮은 계절은 겨울이고, 남중 고도가 낮아지면 낮의 길이가 짧아진다. 낮의 길이가 길수록 평균 기온이 높다.

08 전등과 모래가 이루는 각은 다르게 해야 할 조건이다.

09 전등이 모래를 데워 모래의 온도가 높아지면 모래 위의 공기

가 데워져 기온이 높아진다.

10 계절에 따라 태양의 남중 고도가 달라지므로 기온이 변한다. 지구 전체에 도달하는 태양 에너지의 양은 계절에 관계없이 같다.

11 ㉠-봄, ㉡-여름, ㉢-가을, ㉣-겨울이다. 겨울은 태양의 남중 고도가 가장 낮으므로 태양 복사 에너지가 넓은 지역에 퍼져 기온이 낮아진다.

12 지구의 자전축이 기울어진 채 공전하기 때문에 태양의 남중 고도와 기온이 달라져 계절의 변화가 생긴다.

서술형으로 다지기   48~49쪽

01 모범답안 태양 고도가 높을수록 막대기의 그림자 길이는 짧아진다. 또는 태양 고도가 낮을수록 막대기의 그림자 길이는 길어진다.
해설 태양 고도는 태양이 지표면과 이루는 각의 크기로, 실을 연결한 막대기를 지표면에 수직으로 세우고 그림자 끝과 막대기의 실이 이루는 각을 측정하여 구한다.

02 모범답안 막대기의 길이가 길어져도 측정한 태양 고도는 같다. 태양 고도는 막대기의 길이에 관계없이 일정하기 때문이다.
해설 태양은 지구와 멀리 떨어져 있기 때문에 햇빛은 거의 평행으로 들어온다. 따라서 막대기의 길이가 길어지면 그림자의 길이도 길어지기 때문에 태양 고도는 막대기의 길이와 관계 없이 일정하다.

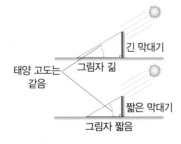

03 모범답안 여름에는 남중 고도가 높아 태양 복사 에너지가 좁은 지역에 집중하므로 기온이 높고, 겨울에는 남중 고도가 낮아 태양 복사 에너지가 넓은 지역에 퍼지므로 기온이 낮다.
해설 전등과 모래가 이루는 각은 자연에서 태양의 남중 고도를 의미한다. 태양의 남중 고도가 높아지면 일정한 면적의

지표면에 도달하는 태양 에너지의 양이 많아져 온도가 높아진다.

04 모범답안 일 년 동안 태양의 남중 고도가 변하지 않으므로 우리나라가 받는 태양 복사 에너지의 양이 일정하여 계절 변화가 나타나지 않는다.
해설 지구의 자전축이 기울어진 채 공전하면 위치에 따라 태양의 남중 고도가 달라지고, 우리나라가 받는 태양 복사 에너지의 양이 달라지므로 계절 변화가 나타난다.

융합사고력 키우기   50~51쪽

01 모범답안 스톤헨지의 탑의 방향이 하지와 동지 때 태양이 뜨고 지는 방향에 맞춰져 있기 때문이다.

02 모범답안 계절의 변화를 알면 농사를 잘 지을 수 있기 때문이다.
해설 고대 시대에는 농사를 잘 지어 식량을 많이 생산하는 것이 가장 중요했다. 스톤헨지의 내부 구조는 천체의 운행과 변화를 읽을 수 있도록 만든 고도로 발전한 천체 관측소였다. 태양이 스톤헨지의 어느 지점에서 떠오르는지를 보고 농사를 시작할 때, 씨를 뿌릴 때, 잡초를 뽑을 때, 수확해야 할 때, 수확한 곡식을 저장해야 할 때 등을 정했을 것이다.

03 모범답안 그림자의 길이와 방향을 관측하면 계절의 변화를 알 수 있다.
해설 계절에 따라 태양의 남중 고도가 달라지고 해가 뜨는 위치와 지는 위치가 다르다. 따라서 앙부일구나 스톤헨지에 생기는 그림자의 길이와 방향을 관측하면 태양 고도와 계절의 변화를 알 수 있다. 위도 37.5°에 위치한 서울은 춘·추분일 때 태양의 남중 고도가 90°−37.5°(위도)=52.5°이다. 그러나 지구 자전축이 23.5° 기울어져 있기 때문에 하지 때는 52.5°+23.5°=76°이고, 동지 때는 52.5°−23.5°=29°이다. 하지 때는 태양의 남중 고도가 높으므로 낮이 길고, 태양 복사 에너지가 좁은 지역에 집중되므로 온도가 높다. 반대로 동지 때는 태양의 남중 고도가 낮으므로 낮이 짧고, 태양 복사 에너지가 넓은 지역에 퍼지므로 온도가 낮다. 춘·추분은 하지와 동지의 중간이다.

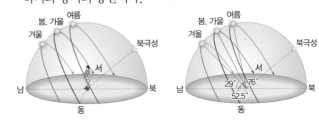

01 **모범답안** 지구의 자전에 의해 태양이 규칙적으로 움직이므로 그림자의 위치를 이용하면 시각을 알 수 있다.

해설 지구의 자전에 의해 태양은 한 시간에 15°씩 규칙적으로 동쪽에서 서쪽으로 움직이고, 태양에 의해 생기는 그림자 역시 한 시간에 15°씩 규칙적으로 서쪽에서 동쪽으로 움직인다. 따라서 그림자의 위치를 이용하면 시각을 측정할 수 있다. 해시계는 사람이 만든 가장 오래된 시계로 주로 해가 오랫동안 떠 있는 지역에서 사용되었다.

02 **모범답안** 동경 135°를 기준으로 하는 표준시를 사용하고 있기 때문이다.

해설 나라마다 쓰고 있는 시각을 그 나라의 표준시라고 한다. 우리나라는 동경 127°에 위치하지만 일본과 함께 동경 135°를 기준으로 하는 표준시를 쓰고 있다. 조선 시대까지는 해시계로 측정한 시각을 사용했기 때문에 서울, 즉 한양의 경도에 해당하는 동경 127°를 표준시의 기준으로 써왔다. 그러나 국권 피탈 이후 일본은 1912년 1월 1일부터 우리나라의 표준시를 일본과 같게 바꾸었다. 이 표준시는 해방 후에도 한일 양국에 주둔한 미군의 작전 편의 등으로 인해 한동안 유지되다가 1954년 3월 21일에 우리나라 가운데를 지나는 동경 127.3°를 기준으로 표준시를 정했다. 그러나 불편한 점이 많아 1861년 8월 10일에 동경 135°를 기준으로 하는 표준시로 다시 바꾸었다. 지난 100년 동안 표준시가 3번이나 바뀌었지만 이를 불편하게 생각하는 사람은 거의 없다. 대부분 국민들은 시계의 시각에 따라 움직이기 때문이다.

03 **모범답안** 앙부일구는 둥근 모양이므로 시각 눈금을 일정한 간격으로 그릴 수 있기 때문이다.

해설 지구는 자전축이 기울어진 채 공전하므로 계절에 따라 태양의 남중 고도가 변하고 태양이 뜨고 지는 위치가 변한다. 따라서 평면 해시계인 오벨리스크는 계절마다 나타내는 시각이 다르다. 또한, 아침과 오후에는 그림자가 길어지고 흐려지므로 시각을 정확하게 측정할 수 없고, 우주를 평면으로 놓고 태양이 움직인 자취를 따라가므로 시각 눈금을 일정한 간격으로 나타낼 수 없다. 그러나 둥근 그릇처럼 생긴 앙부일구는 원에 가까운 태양 운동을 잘 표현하기 때문에 시각 눈금을 일정한 간격으로 그릴 수 있다. 앙부일구는 시각을 가리키는 영침이 오벨리스크처럼 수직으로 세워져 있지 않고 그 지역의 위도만큼 비스듬히 누워있기 때문에 하루 동안 영침의 그림자 길이가 거의 일정하다. 앙부일구 영침의 그림자 길이는 계절에 따라 달라지므로 그림자 길이로 절기(날짜)를 알 수 있다.

04 **모범답안** 그릇 밑의 구멍에서 빠져나가는 물의 양이나 그릇에 들어오는 물의 양으로 시각을 측정한다.

해설 물시계는 그릇에 좁은 구멍을 뚫고 물이 일정한 속도로 떨어지게 하여, 고이는 물의 양이나 줄어든 물의 양을 측정하여 시각을 잰다. 기원전 200년경 이집트에서 처음으로 사용되었고, 우리나라에서는 신라 성덕왕 17년(718)에 처음으로 만들었다. 세종 16년(1434년)에 장영실이 만든 자격루는 밤이나 해가 없는 흐린 날에도 시각을 알 수 있는 물시계이다. 자격루는 물이 고이면 살대가 떠오르면서 자동조절장치를 움직여 그곳에 연결된 인형과 구슬이 종, 북, 징을 쳐서 시각을 알렸다. 물의 흐르는 양이 정확해야 하므로 여러 개의 물통을 연결하였고, 인형과 구슬로 시각을 쉽게 알려주기 위해서 지렛대의 원리, 부력을 이용해 정교하게 만들었다.

정답 및 해설

III 연소와 소화

🌱 05 연소의 조건

개념 기르기　　　　　　　　　　60~61쪽

01 ②　　02 ③, ④　03 ②　　04 ④　　05 ④
06 ④　　07 ①　　08 ④　　09 ②, ③　10 ④
11 ②

01 알코올램프의 알코올이 탈 때 알코올의 높이는 점점 낮아지고, 무게도 점점 가벼워진다.

02 물질이 탈 때 나타나는 공통적인 현상으로는 불꽃 주변이 밝고 따뜻해지며, 빛과 열이 발생한다. 또한 물질의 양이 변한다. 그을음은 산소가 부족하여 물질이 완전히 타지 못할 때 생긴다.

03 쓰레기를 태워 부피를 줄이는 것은 탈 물질이 줄어드는 것을 이용한 예이다.

04 촛불을 집기병으로 덮으면 공기가 통하지 않아 불이 꺼진다.

05 크기가 큰 아크릴 통은 크기가 작은 아크릴 통보다 속에 들어 있는 공기의 양이 많다.

06 아크릴 통 속에 들어 있는 공기의 양이 많을수록 초가 더 오래 탄다.

07 초가 타면서 산소를 사용하기 때문에 초가 타기 전보다 타고 난 후의 산소 비율이 줄어든다.

08 철판이 뜨거워지면 성냥 머리 부분의 온도가 발화점 이상으로 높아지기 때문에 불을 직접 붙이지 않아도 불이 붙는다.

09 불에 직접 닿지 않아도 타기 시작하는 온도를 발화점이라고 하며, 발화점이 낮은 물질일수록 불이 잘 붙는다. 물질마다 발화점이 다르고 발화점에 도달하는 시간이 다르기 때문에 불이 붙는데 걸리는 시간이 다르다.

10 물질이 연소하기 위해서는 탈 물질, 산소, 발화점 이상의 온도가 모두 필요하다.

11 아크릴 통 안에 공기가 계속 공급되어야 촛불이 꺼지지 않는다. 새로운 공기는 아래쪽 구멍으로 들어오고 촛불이 연소한 후 새로 생긴 물질은 위쪽 구멍으로 빠져나간다.

서술형으로 다지기　　　　　　　　62~63쪽

01 　모범답안
(1) 초가 탈 때 나타나는 현상
 • 불꽃은 위아래로 길쭉하다.
 • 불꽃의 색깔은 노란색, 붉은색이다.
 • 시간이 지날수록 초의 길이가 짧아진다.
 • 시간이 지날수록 초의 무게가 줄어든다.
 • 흘러내린 촛농이 굳어 고체가 된다.
(2) ㉠에 들어갈 알맞은 말 : 촛불에 의해 데워진 공기가 대류 현상에 의해 위로 올라가기
　해설　불꽃의 모양은 위아래로 길쭉하며, 불꽃의 색깔은 노란색, 붉은색이다. 불을 붙이기 전에는 심지 근처의 초가 고체 상태이지만 불을 붙이고 난 후에는 액체 상태를 거쳐 기체 상태로 변하고 심지 근처의 초가 녹아 움푹 팬다. 시간이 지날수록 초의 길이가 점점 짧아지고, 무게는 점점 가벼워진다. 또한, 불꽃의 아랫부분이나 옆부분보다 윗부분에 손을 가까이했을 때 더 뜨겁다.

02 　모범답안　초가 타면서 산소를 사용하기 때문이다.
　해설　초가 타기 전에 비커 속에 들어 있는 공기 중의 산소 비율은 약 21 %이고, 타고 난 후에는 약 17 %이다. 초가 타면서 산소를 사용하기 때문에 산소의 비율이 줄어들며 이를 통해 초가 탈 때 산소가 필요한 것을 알 수 있다.

03 　모범답안
 • 공기의 양이 많을수록 촛불이 꺼지는 데 걸리는 시간이 오래 걸린다.
 • 공기의 양이 많을수록 촛불이 오랫동안 탄다.
　해설　아크릴 통의 부피는 아크릴 통 안에 들어 있는 공기의 부피와 비례하고, 아크릴 통의 부피가 클수록 촛불의 연소 시간이 길어진다.

04 모범답안

(1) 알 수 있는 점
- 물질마다 타기 시작하는 온도(발화점)가 다르다.
- 성냥 머리의 발화점이 나무의 발화점보다 낮다.

(2) 그렇게 생각한 이유 : 물질마다 발화점과 발화점에 도달하는 데 걸린 시간이 다르기 때문이다.

해설 물질이 불에 직접 닿지 않아도 타기 시작하는 온도를 발화점이라고 하며, 불에 직접 닿지 않아도 물질이 발화점에 도달하면 불이 붙는다. 물질마다 발화점이 다르므로 불이 붙는 데 걸리는 시간이 다르며, 발화점이 낮을수록 불이 잘 붙는다.

융합사고력 키우기
64~65쪽

01 모범답안
열전도율이 낮아서 음식이 빨리 식지 않는다.

해설 종이 냄비는 부피를 많이 차지하지 않아 휴대하기 좋고, 설거지를 하지 않아도 된다.

02 모범답안
종이 냄비 안에 국물이 있으면 열이 물을 데우는 데 사용되므로 종이 냄비의 온도가 발화점 이상이 되지 않아 타지 않는다.

해설 종이 냄비 안에서 국물이 끓어도 종이 냄비의 온도가 발화점까지 온도가 올라가지 않으므로, 국물이 있으면 타지 않는다. 국물이 모두 끓어 없어진 후 종이 냄비의 온도가 발화점 이상이 되면 타기 시작한다.

03 예시답안
- 착화탄(번개탄)은 발화점이 낮아 먼저 불이 붙어 숯 또는 연탄에 불이 잘 붙게 도와준다.
- 튀김할 때 발화점이 높은 기름을 사용하면 더 바삭한 튀김을 만들 수 있다.
- 발화점을 높인 페인트는 불에 잘 타지 않으므로 화재의 위험을 낮출 수 있다.
- 성냥 머리 부분은 발화점이 낮아 약간의 마찰에도 불이 잘 붙는다.

해설 종이 냄비는 물을 끓여 발화점에 쉽게 도달하지 않도록 하여, 타지 않게 만든 것이다. 성냥 머리 부분에는 발화점이 낮은 화학 물질(붉은 인)이 둥글게 묻어 있고, 성냥갑 옆면의 성냥을 긋는 부분에도 발화점이 낮은 화학 물질이 포함되어 있어, 둘을 마찰시키면 쉽게 불이 붙는다.

🌱 06 연소 생성물과 소화

개념 기르기
70~71쪽

01 ①	02 ④	03 ②, ④	04 ③	05 ①
06 ③	07 ②	08 ④	09 ⑤	10 ④
11 ④, ⑤				

01 푸른색 염화 코발트 종이가 붉게 변하는 것으로 물이 생긴 것을 알 수 있다.

02 석회수가 뿌옇게 흐려지는 것으로 이산화 탄소가 생긴 것을 알 수 있다.

03 초가 연소한 후에는 물과 이산화 탄소가 생긴다. 이때 물은 푸른색 염화 코발트 종이로, 이산화 탄소는 석회수로 확인할 수 있다.

04 초의 심지를 핀셋으로 집으면 심지를 타고 탈 물질이 위로 이동하지 못하기 때문에 촛불이 꺼진다.

05 불이 붙은 알코올램프에 뚜껑을 덮으면 산소가 공급되지 않아 불이 꺼진다. 만약 실험대 위에 알코올이 쏟아져 불이 붙은 경우에는 모래나 소화기를 사용하여 불을 끄고 물을 뿌려서 끄지 않는다.

06 불을 끄기 위해 초의 심지를 자르는 것은 탈 물질을 제거하는 것이다.

07 화재가 발생했을 때 승강기는 다른 층에서 문이 열리거나 정전으로 멈춰 승강기 안에 갇히는 경우가 생길 수 있으므로 승강기를 절대 이용하지 않아야 한다.

08 화재가 발생하면 젖은 수건으로 코와 입을 막고 몸을 낮춰 안전한 곳으로 이동해야 한다. 화재 시 발생하는 유독 가스는 열에 의해 위로 이동하므로 아래쪽에 유독 가스가 적기 때문이다.

09 비상구는 화재 등 갑작스러운 사고가 일어났을 때 급히 대피할 수 있도록 특별히 만든 출구다. 화재 시에는 승강기를 사

용할 수 없고, 반드시 비상구나 비상계단으로 대피해야 하므로 비상구 공간에 물건을 쌓아 놓으면 안 된다.

10 화재가 나면 소화기를 불이 난 곳으로 옮기고 안전핀을 뽑은 후, 바람을 등지고 소화기 고무관이 불 쪽으로 향하게 하여 손잡이를 움켜쥐고 불을 끈다.

11 소화기는 불이 난 곳에 산소 공급을 막고, 온도를 발화점 미만으로 낮춰 불을 끈다.

서술형으로 다지기 72~73쪽

01 모범답안
- 초가 다른 물질로 변하기 때문이다.
- 초가 물과 이산화 탄소로 변하기 때문이다.

해설 초가 연소하면 물과 이산화 탄소가 생긴다. 초의 연소 생성물인 물과 이산화 탄소는 공기 중으로 날아가기 때문에 우리 눈에 보이지 않으며, 연소 후 초의 무게가 줄어든다.

02 모범답안

탈 물질 제거	• 입으로 분다. • 초의 심지를 핀셋으로 잡는다. • 초의 심지를 자른다.
산소 차단	• 촛불을 집기병으로 덮는다. • 촛불을 물수건으로 덮는다.
발화점 미만의 온도	• 촛불에 분무기로 물을 뿌린다. • 촛불을 물수건으로 덮는다.

해설 촛불을 물수건으로 덮으면 산소 공급을 막고, 물 때문에 온도가 발화점 미만으로 낮아져서 촛불이 꺼진다.

03 모범답안
- 젖은 수건으로 코와 입을 막고, 몸을 낮춰 이동한다.
- 비상구를 통해 몸을 피한다.
- 안전한 곳에서 119에 신고한다.
- 문손잡이를 맨손으로 잡지 않는다.
- 나무로 된 가구 밑으로 들어가지 않는다.
- 화재의 초기 단계일 때에는 소화기로 불을 끈다.
- 문손잡이가 뜨거우면 문 반대편에 불이 있을 수 있으므로 함부로 문을 열지 않는다.

- 문을 닫고 대피해 화재와 연기가 번지지 않도록 한다.
- 연기가 새어 들어오면 이불이나 옷을 물에 적셔 틈을 막는다.

04 모범답안 바람을 마주 볼 경우 불길이 사람을 향하게 되어 위험하기 때문이다.

해설 소화기를 사용할 때는 바람이 부는 방향을 잘 확인하여, 소화기를 분사하였을 때 약제가 불이 있는 곳으로 향하게 해야 한다.

융합사고력 키우기 74~75쪽

01 모범답안 크기가 매우 작아서 기도를 거쳐 폐로 잘 들어가고, 중금속을 포함하고 있기 때문이다.

02 모범답안 연탄을 태우면 완전히 타지 못하고 일산화 탄소와 그을음이 생긴다. 그러나 도시가스는 수증기와 이산화 탄소로 바뀌고, 재가 많이 생기지 않기 때문이다.

해설 고체 연료는 표면적이 작아 산소와의 접촉이 원활하지 않기 때문에 불완전 연소가 일어나기 쉽다. 또한 고체 연료에는 액체나 기체 연료에 비해 불순물이 많이 포함되어 있어 연소 시 냄새가 많이 나고 재를 남긴다. 액체와 기체 연료도 재를 남기지만, 고체 연료에 비해 매우 적다.

03 모범답안 공기를 강하게 회전시켜 많은 공기가 엔진 속으로 공급될 수 있기 때문이다.

해설 사이크론 필터는 일반 필터와는 달리 공기를 빠르게 회전시켜 회오리 바람을 일으킨다. 공기를 강하게 회전시키면 벽면에 닿는 공기 저항이 줄어들고 통기성이 증가되므로 더 많은 공기가 엔진 속으로 공급된다. 사이크론 필터는 완전 연소를 위해 부채질을 해주는 것과 같은 효과이다.

탐구력 키우기 76~77쪽

01 모범답안
- 마술 1: 손수건에 불이 붙지만 타지 않는다.
- 마술 2: 우유로 글자를 쓴 부분만 타서 글자가 나타난다.

해설
- 마술 1: 활활 타오르던 손수건의 불은 점점 꺼진다. 손수건에 붙은 불은 파란색을 띠며, 잘 보이지 않는다. 손수건에 붙은 불이 다 꺼지면 흰색 연기가 피어오른다.

02 모범답안
- 마술 1 : 알코올이 타면서 내는 열을 물이 흡수하므로 손수건의 온도가 발화점 이상으로 높아지지 않기 때문이다.
- 마술 2 : 우유가 묻은 부분의 종이는 발화점이 낮아 촛불로 가열하면 잘 타기 때문이다.

해설
- 마술 1 : 불이 꺼진 직후 손수건을 만져 보면 뜨겁지 않다.
- 마술 2 : 우유의 젖산이 종이를 탈수시키므로 우유가 묻은 부분은 종이보다 더 잘 탄다.

03 모범답안
- (가) : 철망이 열을 흡수하여 철망 위쪽의 온도가 발화점 이상으로 높아지지 않기 때문이다.
- (나) : 철망이 열을 흡수하여 철망 아래쪽의 온도가 발화점 이상으로 높아지지 않기 때문이다.

해설 물체의 온도가 발화점 이상이 되지 않으면 연소가 일어나지 않는다.

04 모범답안 물이 뜨거운 기름에 닿아 폭발했기 때문이다. 모래나 젖은 수건으로 덮어서 꺼야 한다.
해설 고기에서 흘러나온 기름은 숯불과 함께 가열되어 뜨거워진 상태이다. 여기에 물을 뿌리면 물이 순간적으로 수증기로 변하면서 불꽃이 폭발하고, 불씨가 주변으로 옮겨붙어 큰 화재로 번진다. 연소 중인 연료의 표면에 물이 닿았을 때 물이 증발하거나 끓어서 기름과 함께 폭발하는 현상을 슬로프 오버(slop over)라고 한다. 기름 화재의 경우 큰 뚜껑이나 잎이 넓은 배추로 덮거나 마요네즈나 소금을 뿌려 산소를 차단하고 기름 온도를 낮춰서 불을 꺼야 한다. 기름 화재는 일반 화재에서 사용하는 소화기를 사용해서는 안 된다. 일반 소화기는 기름 온도를 낮추지 못하므로 불꽃이 작아지다가 다시 살아난다. 가정에서 튀김을 할 때는 윗부분이 넓은 냄비에 발화점이 높은 캐놀라유(240 ℃)나 포도씨유(250 ℃)를 사용하고 환기를 잘 시켜야 한다. 엑스트라버진 올리브유는 발화점이 80 ℃로 낮아 튀김용으로는 적당하지 않고 샐러드 드레싱이나 빵을 찍어 먹는 등 가열하지 않고 먹는 것이 좋다.

Ⅳ 우리 몸의 구조와 기능
07 운동 · 소화 · 호흡 기관

개념 기르기   84~85쪽

01 ④	**02** ①	**03** ②	**04** ②	**05** ④
06 ③	**07** ④	**08** ②	**09** ③	**10** ⑤

11 ③, ⑤

01 똑딱단추로 연결한 곳은 우리 몸의 관절(뼈마디)에 해당하는 부분으로 구부리거나 펼 수 있다.

02 비닐봉지는 팔 안쪽 근육에 해당한다. 비닐봉지에 바람을 넣어 비닐봉지가 부풀어 오르면 길이가 줄어들어 굵은 빨대가 구부러진다.

03 머리뼈는 바가지 모양으로 둥글고 뇌를 보호한다.

04 척추뼈는 목뼈, 등뼈, 허리뼈, 엉치뼈, 꼬리뼈로 이루어져 있으며, 이중 등뼈는 몸을 지지하는 역할과 중추 신경계를 보호하는 역할을 한다.

05 호흡 기관은 숨을 들이마시고 내쉬는 호흡에 관여한다.

06 음식물은 크기가 커서 몸속으로 바로 흡수될 수 없으므로 소화 과정을 거쳐야 한다.

07 작은창자는 음식물을 분해하고, 분해된 영양소를 흡수한다. ㉠ 입, ㉡ 식도, ㉢ 위, ㉣ 작은창자, ㉤ 큰창자이다.

08 우리 몸속으로 들어간 음식물은 입 → 식도 → 위 → 작은창자를 거치면서 잘게 쪼개진다. 이후 필요한 영양소는 작은창자에서 흡수되고, 큰창자에서 음식 찌꺼기의 수분을 흡수한 후 소화되지 않은 음식 찌꺼기는 항문을 통해 배출된다.

09 숨을 들이마시고 내쉬는 활동을 호흡이라고 하며, 코, 기관, 기관지, 폐가 관여한다.

10 ㉠ 코, ㉡ 기관, ㉢ 기관지, ㉣ 폐는 호흡 기관이다.

11 ① 숨을 들이마실 때 공기는 코 → 기관 → 기관지 → 폐로 이동한다.

② 숨을 내쉴 때 공기는 폐 → 기관지 → 기관 → 코로 이동한다.

④ 숨을 내쉴 때 폐는 온몸을 돌고 폐로 들어온 혈액에서 전달된 이산화 탄소를 몸 밖으로 내보낸다.

서술형으로 다지기   86~87쪽

01 모범답안

구분	뼈와 근육 모형	우리 몸
구조	빨대	뼈
	비닐봉지	근육
움직이는 원리	비닐봉지에 바람을 불어 넣으면 비닐봉지가 부풀어 오르면서 길이가 줄어든다.	에너지에 의해 팔 안쪽 근육이 오므라든다.
움직이는 모습	굵은 빨대가 구부러진다.	팔이 구부러진다.

해설 비닐봉지는 팔 안쪽 근육에 해당한다. 우리 몸의 팔은 팔 안쪽 근육과 바깥쪽 근육이 서로 반대로 수축 이완하면서 움직인다.

02 모범답안

(1) 팔을 굽혔을 때 근육의 움직임 : (가)

(2) 우리 몸이 움직일 수 있는 원리 : 뼈에 연결된 근육의 길이가 늘어나거나 줄어들면서 뼈를 움직여 몸을 움직인다.

해설 우리 몸이 움직일 때 뼈가 직접 움직이는 것이 아니라 뼈에 연결된 근육이 수축 또는 이완하면서 뼈를 움직이게 한다. 뼈만 있으면 움직일 수 없다.

03 모범답안

(1) 간 : 소화를 돕는 쓸개즙을 만든다.

(2) 쓸개 : 쓸개즙을 저장하였다가 작은창자로 분비한다.

(3) 이자 : 소화를 돕는 여러 가지 소화 효소를 만든다.

해설 소화 기관은 입, 식도, 위, 작은창자, 큰창자, 항문이고, 소화를 도와주는 기관은 간, 쓸개, 이자이다.

04 모범답안 안쪽 압력이 낮아져 바깥 공기가 풍선 안으로 들어와 커진다.

해설 호흡기 모형에서 유리관은 기관과 기관지, 풍선은 폐, 고무막은 가로막을 나타낸다. 고무막을 아래로 잡아당기면 호흡기 모형의 안쪽 압력이 대기압보다 낮아지기 때문에 밖의 공기가 유리관을 통해 풍선 안으로 들어와 풍선이 커진다.

융합사고력 키우기   88~89쪽

01 모범답안 손목터널증후군, 거북목증후군(일자목 증후군)

해설 오랜 시간 동안 스마트폰을 사용함으로 발생하는 질환으로는 팔에서 손으로 가는 신경이 손목 인대에 눌려 손이 저린 손목터널증후군과 목뼈의 구조가 변하는 거북목증후군(일자목 증후군) 등이 있다.

02 모범답안 오랜 시간 동안 집중해서 한 곳을 보면 눈을 깜빡이는 횟수가 줄어 눈물 양이 감소하기 때문이다.

해설 눈물은 기본 눈물, 반사 눈물, 감정 눈물로 나누어진다. 기본 눈물은 보통 5초에 한 번씩 눈을 깜빡거릴 때 나오는 것으로, 항상 눈을 촉촉하게 적셔서 눈을 보호한다. 반사 눈물은 눈에 티끌이 들어갔을 때처럼 외부의 자극이 있을 때 나오는 눈물이다. 감정 눈물은 슬프거나 아플 때 흐르는 눈물이다. 반사 눈물과 감정 눈물의 양이 많더라도 기본 눈물의 양이 적으면 안구 건조증이 된다. 안구 건조증을 예방하기 위해서 의식적으로 눈을 깜빡여 기본 눈물이 증발하는 양을 줄여 눈을 촉촉하게 만들어야 한다.

03 모범답안 좌뇌, 우뇌의 기능이 저하되어 창의력이 떨어지며 공간지각능력이나 균형감각 등에 이상이 생길 수 있다.

해설 우리 뇌는 외부 요인에 의해 자신이 좋아하는 쪽의 뇌를 발달시키는 특성이 있다. 스마트폰을 사용하면 주로 좌뇌와 관련된 일(논리, 기억, 정보, 판단, 언어 등)을 하므로 좌뇌를 자주 자극하게 된다. 이런 현상은 뇌를 균형 있게 발달시키지 못하고, 상대적으로 우뇌의 발달을 저하하는 우뇌증후군을 유발할 수 있다. 우뇌증후군의 대표적인 증상은 어지럼증, 알레르기성 질환, 학습 부진이다. 우뇌가 담당하는 공간지각능력에 문제가 생기면 몸의 균형이 맞지 않아 어지럼증이 나타난다. 또한, 우뇌는 면역 기능을 억제해 주는 브레이크 역할을 하는데, 이 기능이 떨어지면 과도하게 예민해진 면역 기능이 스스로를 공격해 알레르기성 질환이 나타난

다. 우측 전두엽의 기능이 저하되면 새로운 것에 도전하는 것보다 반복적인 일(게임, TV 보기 등)에 집중하게 되어 학습 부진이 발생한다. 반대로 좌뇌가 과도하게 발달할 경우, ADHD나 틱장애와 같은 질환으로 이어질 수 있다.

🌱 08 순환 · 배설 · 감각 기관, 신경계

개념 기르기
94~95쪽

01 ② **02** ④, ⑤ **03** ③ **04** ④ **05** ④
06 ⑤ **07** ④ **08** ② **09** ①, ⑤ **10** ③
11 ①

01 주입기 실험에서 펌프는 심장, 주입기의 관은 혈관, 붉은 색소 물은 혈액 역할을 한다.

02 심장은 몸통 가운데에서 약간 왼쪽으로 치우쳐 있으며, 자신의 주먹만하다. 펌프 작용으로 혈액을 온몸으로 순환시킨다.

03 콩팥과 방광은 배설 기관으로, 우리 몸에서 에너지를 만들고 사용하는 과정에서 생긴 노폐물을 몸 밖으로 내보낸다.

04 콩팥은 노폐물이 많은 혈액에서 노폐물을 걸러 내고, 노폐물이 들어 있는 오줌을 방광으로 보낸다. 방광은 콩팥에서 보낸 오줌을 모아 몸 밖으로 내보낸다.

05 온몸을 구석구석 돌고 온 혈액에는 노폐물이 많다. 콩팥은 노폐물이 쌓인 혈액에서 노폐물을 걸러 내어 오줌을 만든다. 만들어진 오줌은 방광에 저장되었다가 일정량이 모이면 몸 밖으로 나간다. 건강에 이상이 있으면 오줌의 성분이 달라지기도 한다.

06 콩팥은 혈액 속의 노폐물을 걸러 내어 오줌을 만드는 배설 기관이다.

07 피부는 온도와 촉감을 느낀다.

08 자극에 대한 반응 과정은 다음과 같다.
자극 → 감각 기관 → 자극을 전달하는 신경계 → 행동을 결정하는 신경계 → 명령을 전달하는 신경계 → 운동 기관 → 반응

09 뇌와 척수로 구성된 중추 신경계는 자극에 대한 정보를 해석하여 행동을 결정한다. 말초 신경계는 중추 신경계와 연결되어 온몸에 뻗어 있으며 자극을 전달한다. 주변으로부터 전달된 자극을 느끼고 받아들이는 기관은 감각 기관이고 눈, 코, 귀, 혀, 피부가 있다.

10 운동을 하면 에너지를 만들기 위해 산소와 영양소가 많이 필요하므로 호흡과 심장 박동이 빨라지고, 체온이 올라간다. 또한 올라간 체온을 조절하기 위해 땀이 난다.

11 감각 기관은 자극을 받아들이고, 신경계는 자극을 전달하고 행동을 결정한다.

서술형으로 다지기
96~97쪽

01 모범답안 혈관을 따라 이동하며 영양소와 산소를 온몸으로 운반하고
해설 심장에서 나온 혈액이 혈관을 따라 온몸을 거쳐 다시 심장으로 돌아오는 과정을 순환이라고 하며, 심장과 혈관은 혈액의 이동에 관여하는 순환 기관이다. 심장이 멈춘다면 혈액이 이동하지 못해 영양소와 산소를 몸에 공급하지 못한다.

02 모범답안 콩팥, 노폐물이 몸에 쌓여 병에 걸린다.
해설 배설은 우리 몸에서 에너지를 만들고 사용하는 과정에서 생긴 노폐물을 몸 밖으로 내보내는 과정이다. 배설에 관여하는 기관은 혈액에서 노폐물을 걸러 내어 오줌을 만드는 콩팥과 오줌을 모아 몸 밖으로 내보내는 방광이 있다. 콩팥이 제 기능을 하지 못하면 노폐물이 몸에 쌓이게 되어 혈압이 올라 빈혈이 생기고, 소변으로 단백질이 배출되며, 몸이 붓는다.

03 모범답안
(1) 자극 : 전화벨이 울리는 소리
(2) 반응 : 전화를 받음
(3) 자극에 대한 반응 과정 : 전화벨이 울리는 소리를 들음 → 전화벨 소리가 전달됨 → 전화를 받겠다고 결정함 → 전화를 받으라는 명령을 운동 기관에 전달함 → 팔을 움직여 전화기를 잡고 전화를 받음
해설 자극에 대한 반응 과정은 다음과 같다.
자극 → 감각 기관 → 자극을 전달하는 신경계 → 행동을 결

정하는 신경계 → 명령을 전달하는 신경계 → 운동 기관 →
반응

04 모범답안

(1) 심장 박동이 빨라지는 이유 : 뼈와 근육이 에너지를 만
드는 데 필요한 산소와 영양소를 빨리 공급하기 위해서
이다.

(2) 호흡이 빨라지는 이유 : 에너지를 만들기 위해 산소가
많이 필요하고, 운동으로 생긴 이산화 탄소를 몸 밖으로
빨리 내보내기 위해서이다.

해설 운동을 할 때는 평소보다 더 많은 에너지가 필요하며,
에너지를 얻기 위해서는 산소와 영양소가 많이 필요하므로
호흡과 심장 박동이 빨라진다. 또한, 체온이 올라가므로 땀
을 흘려 체온을 조절한다.

융합사고력 키우기   98~99쪽

01 모범답안 귀성길 멀미

해설 평소에 멀미를 하지 않는 사람도 가다 서기를 반복하면
저주파 진동에 의한 귀성길 멀미를 할 수 있다.

02 모범답안 시각 정보는 움직이지 않지만 위치 정보가 움직여
두 정보가 일치하지 않기 때문이다.

해설 우리 몸이 안정된 상태를 유지할 수 있는 것은 눈이 받
아들인 시각 정보와 귀의 평형 기관(전정기관과 반고리관)이
받아들인 위치 정보가 일치하기 때문이다. 달리는 차나 움직
임이 많은 배에서 눈은 고정되어 있어 움직이지 않는다는 정
보를 주지만, 귀의 평형 기관은 위치 변화를 받아들여 뇌로
전달한다. 뇌는 전달받는 두 신호 정보가 일치하지 않아 혼란
이 생기고 자율신경계의 불균형을 유발하여 멀미가 생긴다.

03 예시답안

• 패치 형태의 멀미 예방제를 붙이거나 멀미약을 먹는다.
• 책, 신문, TV를 보지 않고 잠을 잔다.
• 차를 타기 전에 과식하지 않는다.
• 먼 산을 본다.

해설 멀미는 시각 정보와 위치 정보가 일치하지 않을 때 일
어나는 현상이므로 멀미를 줄이려면 변화를 적게 느끼도록
해야 한다. 먼 산이나 지평선을 바라보거나 잠을 자면 도움
이 되고, 멀미는 흔히 울렁거림으로 이어질 수 있기 때문에

차를 타기 전에 과식을 피하는 것이 좋다.

탐구력 키우기   100~101쪽

01 모범답안 빨대가 구부러지면서 손가락이 움직인다.

해설 실을 잡아당기면 홈 부분이 접히면서 빨대가 구부러져
손가락이 움직인다. 구부러진 빨대의 홈이 한 줄로 연결되어
있어야 손가락이 똑바로 구부러진다. 여러 개의 실을 잡아당
겨서 다양한 손동작을 만들어 보고, 물건을 잡고 옮겨 보는
활동을 해본다. 실제 손이 움직일 때 여러 개의 힘줄이 동시
에 움직인다.

02 모범답안 빨대는 뼈, 실은 힘줄에 해당한다.

해설 빨대는 뼈, 실은 힘줄, 빨대의 홈
은 관절(뼈마디)에 해당한다. 근육은 뼈
에 붙어 있고, 힘줄은 근육과 뼈를 연결
한다. 관절(뼈마디)은 뼈와 뼈가 연결되
는 부분이고, 관절 안에는 윤활액이 차
있어 뼈와 뼈가 움직이면서 생기는 마찰

인대

을 줄인다. 인대는 뼈와 뼈를 연결하는 조직이고, 관절 주위
를 감싸 주어 탈골을 막는다.

03 모범답안 뼈에 연결된 근육이 늘어나거나 줄어들면 힘줄과 연
결된 뼈가 구부러져 움직인다.

해설 손과 같이 미세하고 정교한 움직임이 필요한 곳에는 관
절이 많다. 관절이 없거나 닳게 되면 움직일 때 뼈와 뼈의 충
돌로 통증이 생긴다.

04 모범답안 관절(뼈마디) 개수가 적고 관절이 여러 방향으로 움
직이지 못하기 때문이다.

해설 사람의 관절은 목처럼 회전할 수 있는 관절, 팔꿈치나
무릎처럼 접을 수 있는 관절, 손목 관절처럼 모든 방향으로
운동할 수 있는 관절 등 종류가 다양하다. 로봇의 관절은 전
동기와 압축 공기를 이용하는데, 전동기는 일정한 방향으로
만 움직이기 때문에 관절 운동 방향에 제한이 있다. 휴보는
40여 개의 관절을 움직이는 전동기 덕분에 음악에 맞춰 간단
한 춤을 출 수 있고, 각각의 손가락에 와이어로 구성된 장치
가 있어 자연스러운 움직임이 가능해 가위바위보나 악수도
할 수 있다.

안쌤의
줄기과학 시리즈

새 교육과정
3~4학년
학기별
STEAM 과학

3-1 **8강**　3-2 **8강**　　　4-1 **8강**　4-2 **8강**

새 교육과정
5~6학년
학기별
STEAM 과학

5-1 **8강**　5-2 **8강**　　　6-1 **8강**　6-2 **8강**

새 교육과정
중등 영역별
STEAM 과학

물리학 **24강**　　화학 **16강**　　생명과학 **16강**　　지구과학 **16강**　　　물리학 워크북　　화학 워크북

안쌤의
최상위
줄기과학

 매스티안

펴낸곳 타임교육C&P **펴낸이** 이길호
지은이 안쌤 영재교육연구소 (안재범, 최은화, 유나영, 이상호, 추진희, 허재이, 오아린, 이나연, 김혜진, 김샛별, 최혜성)
주소 서울특별시 강남구 봉은사로 442 **연락처** 1588-6066
팩토카페 http://cafe.naver.com/factos
안쌤카페 http://cafe.naver.com/xmrahrrhrhghkr(안쌤 영재교육연구소)

자율안전확인신고필증번호: B361H200-4001

1. 주소: 06153 서울특별시 강남구 봉은사로 442
2. 문의전화: 1588-6066
3. 제조년월: 2021년 12월
4. 제조국: 대한민국
5. 사용연령: 8세 이상
※ KC마크는 이 제품이 공통안전기준에 적합하였음을 의미합니다.

 ⚠주의

종이, 모서리에 다칠 수 있으니 주의하세요!

안쌤의
창의적 문제해결력 시리즈

초등 1~2 학년

초등 3~4 학년

초등 5~6 학년

중등 1~2 학년

안쌤의
줄기과학 시리즈

새 교육과정
3~4학년
학기별
STEAM 과학

3-1 **8강** 3-2 **8강**   4-1 **8강** 4-2 **8강**

새 교육과정
5~6학년
학기별
STEAM 과학

5-1 **8강** 5-2 **8강**   6-1 **8강** 6-2 **8강**

새 교육과정
중등 영역별
STEAM 과학

물리학 **24강**   화학 **16강**   생명과학 **16강**   지구과학 **16강**   물리학 워크북   화학 워크북